GELUKKIG ZIJN WE MACHTELOOS

Van Ivo Victoria verscheen eveneens bij uitgeverij Anthos

*Hoe ik nimmer de Ronde van Frankrijk voor
min-twaalfjarigen won (en dat het me spijt)*

IVO VICTORIA

GELUKKIG ZIJN WE MACHTELOOS

ANTHOS | AMSTERDAM

Deze uitgave is gerealiseerd met een stimuleringsbeurs van
het Nederlands Letterenfonds en een bijdrage van
het Amsterdams Fonds voor de Kunst.

Deze uitgave kwam tot stand door bemiddeling van
Sebes & Van Gelderen Literair Agentschap te Amsterdam.
Zie ook www.boekeenschrijver.nl.

ISBN 978 90 414 1626 1
© 2011 Ivo Victoria
Vormgeving omslag en titels Dooreman
Omslagillustratie © Eva Mouton
Foto auteur © Lieke Romeijn

Verspreiding voor België:
Veen Bosch & Keuning uitgevers n.v., Antwerpen

'The eyes of fear want you to put bigger locks on your doors, buy guns, close yourselves off. The eyes of love, instead, see all of us as one.'

– Bill Hicks

Altijd wanneer drama's als deze zich voltrekken is er één persoon in het gezelschap die ijzig kalm blijft. Ome Lex is vaak die persoon geweest. Gedwongen om alleen en machteloos toe te kijken terwijl anderen wild om hem heen draaiden, door hun onwetendheid en angst verblind, met elke gil de chaos voedend als een gulzig kind. Nu staat hij hier. Op de heuvel. De helling overschouwend die naar de afgrond leidt. Hij strijkt met één hand over de revers van zijn colbert. In gedachten verzonken als een jager.

Volg zijn blik. Verklein het beeld. Verklein het tot je de perfect gecomponeerde foto ziet. Beneden, in de tuin, zit een Aziatisch meisje op de rand van een trampoline. Haar voeten centimeters boven het gras. Achter haar, iets verderop: een muur van klimop, waarachter weiden en de horizon schuilgaan.

Strakke jeans, baseballcap. Knalgele All Stars. Een arafatsjaal gedrapeerd over een getailleerd shirt. In haar handen: een spel.

Zacht zuchtend begint ze het lied te zingen. Haar benen wiebelen.

Dag Mahatsuko, dag lieve Mahatsuko, dag.

De geur van het buffet vermengt zich met de klanken van haar stem.

Dag Mahatsuko, dag.

Ze zwijgt. Iemand werpt een bal het grasveld op. Twee jongens komen tevoorschijn. Ze kijkt achterom, naar hen, kijkt weer voor-uit, naar hem. Ze springt van de trampoline en loopt naar de jongens, lichtvoetig maar traag, met de kin omhoog, speels en tegelijk voornaam.

Een fiere gazelle.

ALLEEN ALS EEN BEEST

— I

1

Er dansen vlekken voor mijn ogen. En er hangt een geluid in de lucht. Ongrijpbaar, als mist. Een hoge, zingende toon. Het lijkt van buitenaf te komen. Dat kan allicht niet. Het zijn mijn oren die tuiten. Dat is het. Mijn lichaam zindert. Geperforeerd met duizend naalden. Pijn, overal pijn.

Behoedzaam draai ik mijn hoofd. Eerst naar links, en dan naar rechts. Naast mij zit de jan-van-gent. Roerloos. Vlakbij. Waar komt die vandaan? Hoe komt het dat hij zich op ooghoogte bevindt? Mijn billen zijn koud en vochtig, mijn broek en onderbroek doorweekt van het natte gras. Ik sta niet recht. Ik zit op de grond. Ik heb mijn handen naast mij neergezet, als pilaren. Mijn benen liggen voor mij. Frappant. Ik zit als het ware tot heuphoogte in de grond begraven – zoals kinderen weleens doen met hun vader op het strand. En iemand heeft die benen voor mij neergelegd.

De jan-van-gent mekkert. Hij klinkt niet zielig of triest, zoals daarstraks, maar eerder verbolgen.

Billie. Waar is Billie? Ik zie haar nergens. Ik ril, maar het is nog steeds warm. Nog warmer, zo lijkt het wel. Het miezert een beetje. De regen valt als zweet.

Wat is er gebeurd, waarom zit ik hier? Ik kan mij niks

voor de geest halen. Helemaal niks. Ik trek mijn benen op, leg mijn handen op mijn knieën en buig voorover. Ik laat mijn hoofd rusten op mijn armen. Ik sluit de ogen.

Billie. Ik zie Billie weer staan. Ik zie hoe ze de storm uitdaagt als een toreador, lange haren als zwart zeewier in haar gezicht. Slanke armen dansend in de regen. Hey, Mahatsuko! Dat is het. Dat roept ze: Hey, Mahatsuko. Het lijkt alsof ze het tegen mij roept. Het klinkt alsof ze een dier opjut. Ik weet niet wie of wat Mahatsuko is.

En terwijl ik daarover nadenk, sta ik voorzichtig op. Ik maak enkele eenvoudige rek- en strekbewegingen. Het bloed begint weer door mijn lijf te stromen en langzaam trekt de pijn weg uit mijn botten. Ik betast mijn gezicht en mijn haren, die pluizig zijn. De zon breekt door. De zon die nog nét boven de aarde zweeft. En de wolken glijden weg, vanaf de horizon omhoog, zoals het doek op het toneel wordt opgetrokken voor een volgend bedrijf. Ik begin te lopen in de richting van de plek waar ik haar het laatst heb gezien. De vogel wipt achter me aan. Het lijkt iets beter met hem te gaan. Hij houdt me in de gaten. Een schrander dier. Ik loop honderd, hooguit tweehonderd meter.

Daar ligt ze. Op de grond. Als een vod.

Ik kniel bij haar neer. Ook de jan-van-gent komt naderbij en gaat naast haar zitten op circa één meter van haar hoofd. Samen bekijken we haar. Een pop van porselein. Haar shirt gescheurd. Een lange, helderrode schram loopt over haar borstbeen vanaf haar hals. Ik kan niet zien tot waar. Ze ligt rustig, op haar rug, haar armen langs haar lichaam. Haar pet is afgerukt door wat het ook geweest is dat haar geveld heeft, en haar steile haren zijn nu verwilderd riet. De ogen gesloten. Ik hou een vinger voor haar neusgaten. Ik voel de warme lucht die haar lijf verlaat.

Hier zit ik dan. Een oude man bij het bewegingloze lichaam van een meisje. Wie ons nu kan zien zou merkwaardige gedachten kunnen hebben. Maar niemand kan ons zien, behalve een vogel. Dit kan nog altijd nooit gebeurd zijn.

Ik denk aan die eigenaardige fluittoon die ik net hoorde en die nu is verdwenen, opgelost in de wind. En voor het eerst sedert we het feest achter ons lieten, denk ik aan dat bizarre verhaal van de ruis. Het zegt veel over wat er is gebeurd en wat het met mij doet.

Ik berisp mezelf. Billie is niet verdwenen. Ik ben bij haar. De ruis is niets meer dan een spook dat dwaalt in de hoofden van wanhopige vrouwen. Die gedachte moet ik vasthouden. Er is feitelijk niks aan de hand. Een meisje heeft het bewustzijn verloren. Dat is schrikbarend. Maar er is niets gebeurd met valse bedoelingen. Er is geen sprake van opzet of hogere machten. Ik moet mij niet in de maling laten nemen, als een dwaas, zoals iedereen. Blijf de dingen zien zoals ze zijn.

Toch voel ik mij bekeken. Iets ondoorgrondelijks in de lucht is met mij aan het spotten. Ik sla de handen voor mijn gezicht, ik knijp mijn ogen dicht zo hard ik kan, en probeer de duisternis zo diep mogelijk te maken. Het lukt me niet. Steeds keren ze weder, duiken ze op vanuit het zwart: de gezichten van Martha, Dirk en Hilde – goede mensen, die mij vanmiddag hadden onthaald als een verloren gewaande jeugdheld. Thomas, Simon. Het deed deugd hen te zien, het doet pijn te weten wat zij nu moeten denken. Nonkel César. Al die anderen, die ik nooit eerder had gezien, maar die mijn persoon vertrouwden op voorspraak van de mater familias, die niet kon weten dat zij het paard van Troje had binnengehaald. Allemaal goede mensen. Nauwelijks enkele uren geleden hieven wij het glas en zongen samen een lied. Nu zweven ze in de donkerte. Zonder lichaam draaien hun hoofden om het mijne en beurtelings kijken ze mij verwijtend aan, hun monden gesloten, hun lippen op elkaar geperst. Ik open mijn ogen en ik wapper met mijn handen, om hen te verdrijven.

Er was niets aan de hand. Niks. We zouden terug naar huis keren, en bij aankomst zouden we smakelijk lachen, zonder leedvermaak, lachen om hun zorgen, die bittere vruchten van de menselijke verbeelding. Hun opluchting, ons gelijk. Maar nu ben ik er mij terdege van bewust dat die overwinning, die zo nakend leek, heden veraf is, zo ver als een vluchtende horizon.

Ik sta op en loop naar de barak. Daar ligt mijn colbert nog. Terwijl ik terug naar Billie loop, haal ik mijn sigaretten uit mijn jaszak, steek er een in mijn mond en stop het pakje weer in mijn broekzak, waar ik mijn aansteker vind. Ik til Billie voorzichtig op, en laat haar rug en hoofd steunen op mijn ene arm terwijl ik met de andere het colbert om haar schouders schik. Ik leg haar weer neer, knoop het jasje half dicht en steek de sigaret aan. De jan-van-gent kijkt op, naar mij, en dan weer terug naar Billie. Hij is de hele tijd niet van zijn plaats geweest. Hij lijkt kalm. Gelaten. Alsof hij treurt om een gelijke.

Ik zeg dat ik moet nadenken.

Hoe ze daar ligt. Niets meer dan een meisje dat slaapt. Dat is wat ik moet denken. De wereld is neutraal. Wij máken haar dramatisch, omdat we haar niet kunnen aanvaarden zoals ze is. Onze eigen geest is een valkuil. Die gedachte moet ik vasthouden. De dingen zien zoals ze zijn, geduldig wachten en dan meegaan met de stroom die komt, die altijd komt.

Ik inhaleer de rook en blaas hem weer uit, over Billie heen. Dat zou ze vies vinden, maar wellicht dat de stank haar kan wekken. Het is nu helemaal gestopt met regenen en het verbaast me hoe snel de druppels op haar huid verdampen. Er is nog altijd niks te zien in de omgeving, behalve de barak en een heuvel in het westen, waar de zon ondergaat – daarachter ergens moet de zee zijn. Ik heb geen benul hoe ver dat nog is. Mijn gsm. Daar heb ik nog niet aan gedacht. Ik vind hem in mijn andere broekzak. Er parelen druppels aan de binnenkant van het scherm, dat leeg is.

Het westen. Dat betekent dat het huis wellicht de andere kant op is. Hoe lang hebben we gelopen, door deze eindeloze weide die ooit de lucht weerspiegelde? We zijn zeker niet in een rechte lijn gegaan. Dus terugkeren is geen optie. De grootste kans om een weg of een andere aanwijzing van menselijk leven tegen te komen ligt in het westen. Ergens bij de zee, of bij die heuvel, die bult daar in de verte. Daar moet een weg lopen. En op die weg moet bewegwijzering staan waarmee ik mezelf op de hoogte kan stellen van waar ik ben. Maar op de weg kunnen we gezien worden. Dat zou ongunstig zijn. We moeten ongeschonden terugkeren, ongezien, zoals we gegaan zijn.

Ik doof mijn sigaret in het gras. Als ik stevig doormarcheer heb ik een kans om de duisternis voor te blijven. De duisternis zal niet alleen mijn zicht bemoeilijken, maar ook dat van de anderen. Alles is erger in het donker.

Ik schuif mijn ene arm onder haar rug totdat haar hoofd tegen mijn schouder rust en mijn andere onder haar knieën. Zo til ik haar op, als een baby. Ze is goed draagbaar. Ik begin te lopen.

De jan-van-gent huppelt met mij mee. Hij kwettert en mekkert – het klinkt opgeruimd – en hij huppelt nog wat verder, neemt een kleine voorsprong. Wat gaat hij doen? Hij spreidt de vleugels. Wat gaat hij ondernemen? Hij slaakt een langgerekte kreet. En vliegt. Hij vliegt. Allemachtig. Dat is bijzonder. Curieus. Niet onverklaarbaar, zeker niet. Maar ik sta ervan te kijken. Hij is echt los van de grond, eerst nog zwalkend als een vliegtuig in nood dat rare capriolen maakt, dan wint hij aan hoogte en alras is hij een silhouet dat afsteekt tegen de maan, die ik nu pas bemerk. Groot en rond en helder aan de hemel, haar aders zichtbaar in het laatste zonlicht. Waarom vliegt die vogel? Waar vliegt die schelm naartoe? Waarom nu? En dat geluid dat hij maakt. Hoogst ongewoon. Misschien wil hij mij de weg tonen, wil hij zeggen: omhoog, de heuvel op, wees vrij en zonder vrees, als een vogel. Larie. Dieren denken niet.

2

Precies een week geleden, ook rond deze tijd, zat ik thuis op de bank. Nietsvermoedend. Roerloos wachtend tot de dag voorbij zou gaan.

Dat zijn de mooiste momenten. De mensen schenken er weinig aandacht aan. Dan hoor ik ze, in de verte, druk toeterend dwars door die wonderschone schemering schuifelen. Zo leven de mensen, tegenwoordig. Op het ritme van geluid. De telefoon. Het scannen van hun boodschappen door de kassajuffrouw. Het belletje van de microgolfoven. Hun hersenen verslaafd aan het ritme van inkomende berichten. Op zo'n kleine computer. Waarmee je ook kan bellen.

Zonderling. Zo zien ze het niet. Het is nochtans magnifiek: het daglicht dat zachtjes uitdooft en zijn plaats afstaat aan het schijnsel van de sterren en de maan. Rustgevend ook. In principe raad ik het aan. Gedachteloos toekijken hoe de tijd verschuift. Het warme besef dat over je lichaam glijdt. Weer een dag die is voorbijgegaan. Het is aangenaam. Ik wacht graag. Normaal gezien is het mijn beste goede raad, aan ieder mens: wachten. Althans wanneer men mij erom vraagt. Het gebeurt niet meer zo vaak. En het zal er niet op beteren. Straks. Straks zullen mij heel andere vragen worden gesteld.

Die avond wachtte ik tot het helemaal stil en donker was. Echt donker wordt het nooit meer. Dat is het spijtige van de stad. Men heeft de mensen het donker afgenomen. In Afrika. Daar. Daar hebben ze niet alleen honger. Daar weten ze ook nog wat echt donker is. Het is niet een en al kommer en kwel.

Dus het was stil en zo donker als het nog kan worden. Alles wat ik hoorde, was het tikken van de tijdklok die ik op het stopcontact van de staande lamp in de hoek van de kamer heb gemonteerd. Een vernuftig apparaat. Elke ochtend stel ik hem bij, nadat ik in de krant de exacte tijd van de zonsondergang heb opgezocht. Het is mijn ritueel. Ik hou van rituelen. Die timer maakt een zacht ratelend geluid. Dat neem ik op de koop toe. Overdag wordt het moeiteloos overstemd door dagelijkse bezigheden: de koffie die loopt, het lekken van de waterkraan, de bladzijde van een boek die ik omsla. Ook echte stilte is bijna nergens meer te horen. Zelfs in Afrika is er altijd wel een krekel te vinden. In principe is dat jammer. Maar nu ben ik tot veel bereid, om te kunnen luisteren naar al was het maar één enkel vertrouwd geluid.

Het gebouw waarin ik woon is enorm en heeft een bepaalde vorm. Daarom noemen ze het De Walvis. Maar dan in het Engels. Ook weer zoiets. Ik was de eerste bewoner. Dat was een vredige periode. Helaas duurde het niet langer dan enkele weken.

De ene zijde van mijn flat kijkt uit op de straat en het water. De andere zijde op de binnentuin, en de deuren en ramen van de overige appartementen. Wanneer ik in die tijd 's avonds het licht uitdeed, werd alles donker en diep. Soms bleef ik minutenlang in de duisternis staren totdat ik stemmen meende te horen zingen, kinderstemmen die gesmoord door de muren omhoogklommen en weer weg-zonken, alsof in al die lege ruimtes om mij heen engelen woonden. Dat gaf mij een veilig gevoel.

En deed ik het licht weer aan, dan loste het gezang op in het schijnsel. Dat was mijn licht. Aan de ene zijde wierp het schimmen in de binnentuin. Aan de andere zijde was het zichtbaar voor de meeuwen die jaagden op de boten die de stad in voeren op de rivier. Ik kon de golven zien die door de kiel van de schepen naar het vasteland werden ge-dreven, waar ze tegen de kade te pletter sloegen. Soms spatte het water op, over de rand, tot op de straat. Er waren nog geen bomen geplant, geen straatlantaarns. Ik had vrij zicht. Waar vind je dat tegenwoordig nog? Welnu. Hier dus. Waar ik mij nu zo jammerlijk bevind.

Aan de ene zijde keek ik neer op de tuin. Waar je niet in mocht. Nog steeds niet. Het is een kijktuin. Ook weer zoiets. En aan de andere zijde zag ik dat grote wateropper-vlak, blinkend in het licht van de maan. Als een spiegel. Maar dat wordt zo vaak beweerd. Dat een groot wateropper-vlak erbij ligt als een spiegel. Terwijl dat uiteraard niet kan. Een spiegel is glad en water stroomt, danst, kabbelt. Een dronken spiegel. Dat is al beter.

Het was een mooie tijd. Ik denk er graag aan terug. Ik zou daar nu weer willen staan. In de buik van de moloch. Als een waakvlam die de snelheid van de tijd bepaalt.

Pas toen de duisternis compleet was, en de zon aan de an-dere zijde van de aardbol een nieuwe dag inluidde, sprong het licht aan. Ik besloot nog wat televisie te kijken alvorens naar bed te gaan. Het is een oud toestel. De eerste paar se-conden na het indrukken van de knop blijft het scherm be-wegingloos, stil. Dan flikkeren er kortstondig duizenden zwarte en witte stippen op die door onbekende krachten in elkaar worden gedrukt tot één smalle streep en dan klapt die streep opnieuw open, en tekent met onvaste hand kleuren en figuren die herkenbaar zijn, en wier schokkerige bewegingen langzaam stabiel worden, terwijl het geluid aanzwelt en verstaanbaar wordt. Iedere keer opnieuw hetzelfde procédé. Mooi, hoor.

Het was een actualiteitenrubriek. Een man en een vrouw werden door de verslaggever ondervraagd. De man was kalm, zijn gelaat strak. De vrouw had bloeddoorlopen ogen. Rode striemen op haar wangen. Ze stonden voor een huis. Een chic, vrijstaand huis buiten de stad. Er stonden twee auto's op de oprit, een ervan zonder dak.

De man zei: 'Dan ga je toch even voorzichtig door het lint.'

Bijzonder. De camera zoemde in op zijn handen, die in elkaar grepen.

De verslaggever draaide zich naar de camera om de gebeurtenissen te duiden, zoals dat heet. De ouders bleven achter hem staan. De vader boog het hoofd, de moeder keek recht in de lens, als een verschrikt dier.

Er kwam een foto van het meisje in beeld. Tegen een egaal lichtblauwe achtergrond, als een wolkeloze hemel, schonk ze mij een onzekere glimlach. Een jong meisje. Misschien iets jonger dan Billie. Geen kind. Geen vrouw. Nét te veel oogschaduw op. Typisch voor die leeftijd. Een stem gaf tips. Hoe dit te vermijden. Een oproep aan mensen om zich te melden wanneer ze iets hoorden of gezien hadden.

Ik had al eerder van de verdwijningen gehoord, een paar weken geleden. Eerlijk gezegd dacht ik dat het nieuws over zijn hoogtepunt heen was. Maar deze verdwijning voltrok zich gelijktijdig met de introductie van een element dat nieuw licht zou werpen op de zaak. De verslaggever kondigde aan dat men daar dadelijk, in de studio, dieper op in zou gaan. Hij somde nog één keer alle meisjesnamen op en sprak over 'een teken des tijds'.

Nu ik eraan terugdenk voel ik de woede weer opwellen. Als de mensen het niet weten, dan noemen ze het een teken des tijds. Zie mij hier staan. Zie ik er soms uit als een teken des tijds?

Waar die avond verslag van werd gedaan, was geen teken des tijds. Dat was de stem, het verhaal dat ze vertelde, en de manier waarop. Dat was de donkere, valse schaduw die zich de afgelopen periode in de hoofden van de mensen heeft genesteld, als een koekoek. Als de mensen de tijd zouden nemen, zou iedereen het zien. Het is zonneklaar. Je mag het niet hardop zeggen. Dat het, hoe betreurenswaardig ook, slechts een gebeurtenis is. Zo zeldzaam, dat de kans dat het iemand overkomt kleiner is dan de kans om de lotto te winnen. Het is nieuwswaardig omwille van haar uitzónderlijkheid. Een teken des tijds. Voor minder doen de mensen het niet meer tegenwoordig. Larie. Maar zoals gezegd: Ome Lex wordt niet zo vaak meer iets gevraagd. Laat staan dat ze mij ooit nog zullen geloven.

Was ik maar thuis. Zat ik maar weer op die bank televisie te kijken. Er zitten scheuren in. Dat krijg je, met skaileder. Het was begonnen als één kleine kreuk. Bij de juiste lichtinval was er niks te zien. Ik had geleerd om de staande lamp 's avonds een kwartslag te draaien. Na verloop van tijd was de kreuk opengespleten, als een puist, maar dan zonder de pus, er was enkel wat wit pluis uit gekomen. De puist groeide niet meer dicht. Het scheurtje zat precies aan de rand van het kussen, goed zichtbaar voor wie zich neer wilde vleien. Soms zag ik bezoek aarzelen. Ze wilden het niet erger maken. Ze probeerden het zitkussen om te draaien. Dat gaat niet. Het zit in de bank vastgenaaid. Ga zitten, gebaarde ik dan. Ga zitten, het maakt niks uit. Ik zou het willen herstellen maar dat kan niet. Skaileder is niet te herstellen.

Die scheuren ruïneren de hele bank. Dat is spijtig. Maar ik heb er vrede mee. Je moet het willen accepteren. Sommige dingen passen kapot beter in het plaatje. In het geval van mijn bank: tussen de kast gevuld met versleten vinylplaten en mijn piano in de hoek van de kamer, naast de lange houten tafel met een halflege fles wijn erop. Omgeven door de rook van mijn sigaret die ligt weg te branden in de asbak op de vloer. Wie ziet die voorwerpen wanneer ik er niet ben?

Er vloog een vlieg de kap van de staande lamp in. De geur verspreidde zich door de kamer, als de stank van een fabriek. De telefoon ging. Ik zette het geluid van de televisie uit en nam op.

Het was Martha.

'Er is toch weer een meisje verdwenen, hè.'

Ik vertelde dat ik net de televisie had aangezet.

'Hebt ge gehoord van die vrouwen, die dingen horen? Soms denk ik dat ik het ook hoor, Lex. Serieus.'

Ik lachte. Ik foeterde op de verslaggever. Tegen Martha kan ik veel zeggen.

'Lex. Die man doet ook maar gewoon zijn job. Die moet ook leven.'

Misschien is dat het probleem. Dat alle mensen vinden dat ze moeten leven. Wat denken ze dan dat het betekent? Ik leef toch ook. Zonder dromen, maar ook zonder geesten, tot voor kort.

We spraken meer dan een uur. Martha vertelde over het jaarlijkse tuinfeest met de schoonfamilie van haar dochter Hilde, dat de volgende zaterdag plaats zou vinden – vandaag dus.

Hilde. Martha noemde haar naam en een warme stroom herinneringen gleed mijn lichaam binnen. Door Hilde – en het toeval – heb ik Martha en de rest van het gezin leren kennen. En via mij heeft Hilde op haar beurt haar echtgenoot, Dirk, ontmoet. Ook al toeval. Dus kijk. Zo kan het ook.

Martha's zonen, Thomas en Simon, had ik ook al een hele tijd niet meer gezien. Alleen met Martha heb ik contact gehouden. Ik vroeg hoe het ging met Hilde, en Dirk. Of Hilde nog weleens tekende, ze had talent – ik kende het antwoord maar dat vraag ik nu eenmaal altijd.

En ik vroeg naar Billie. Tenminste, ik herinnerde mij dat Hilde en Dirk een adoptiedochter hadden en vroeg mezelf hardop af hoe zij heette en hoe het met haar ging.

Martha aarzelde.

'Billie,' zei ze uiteindelijk. 'Alles is in orde.'

Ik heb niet doorgevraagd. Dat kan ik altijd nog te mijner verdediging opwerpen, als dat telefoontje ter sprake zou komen.

Aan het eind van het gesprek merkte ik dat ik mijn linkerhand de ganse tijd op mijn borstkas had laten rusten, ter hoogte van mijn hart. Frappant. Uiteindelijk vroeg Martha of ik ook wilde komen. Die zaterdag. Vandaag. Daarstraks.

Het hele gezin zou er zijn, inclusief Isabelle, de vrouw van Simon. En hun dochtertje natuurlijk – een schattebout, had Martha gezegd en daar had ze gelijk in gehad.

Uiteraard ook de familie van Dirk: zijn vader, de vrouw van zijn broer. En nog enige nonkels en tantes van beide kanten die ik nooit eerder gezien had maar die mij zeker nooit meer zullen vergeten.

En ik vroeg nog of het niet ongepast was. Na al die jaren. En de helft van de gasten die mij niet kenden. Dat zal Martha toch nog wel weten? Dat ik niet meteen ja heb gezegd?

'Ge moet niet bang zijn. Dat komt wel klaar,' zei ze.

Dat komt wel klaar. Zegt ze altijd.

Ik staarde naar het scherm dat geluidloos konde deed van nog meer onheil. Ik had wel zin in een verzetje. Dat was alweer een tijd geleden. Dus ik bedankte haar, stemde toe, nam afscheid en legde de hoorn neer.

Verdrietig licht speelde door de kamer. Ik bleef even zitten, in gedachten verzonken, mijn ogen op de vloer gericht. Tot ik dat geluid hoorde. Een zinderende toon die mijn oren kietelde. Net als daarstraks. Ik stond op, liep door de kamer, keek door het raam. De lamp. Ik wierp een blik in de kap, waar niets dan verbrande lichaamsresten van vliegen lagen, stil. Ik legde mijn oor tegen de zekeringkast. De koelkast. Nee. Ik boog vooroves bij het televisiescherm. Mijn haren werden aangezogen door de statische elektriciteit – dat moet er buitengewoon hebben uitgezien. Ik draaide het volume open. Ik draaide het volume dicht. En weer open. Dat was het. Niets meer dan dat.

Ik ben weer gaan zitten en keek verder naar de uitzending. Er werd een vrouw geïnterviewd in de studio. Ze had een bloemenjurk aan. Ik schatte ze een jaar of vijftig. Misschien iets ouder dan ik. De journalist keek haar ernstig aan en stelde vragen waar ik aanvankelijk niets van begreep.

De vrouw beweerde dat ze sinds enige tijd – toevalligerwijs sinds de verdwijningen waren begonnen – werd geplaagd door een mysterieuze ruis die verder niemand hoorde. Elke dag, waar ze ook ging. En elke nacht in bed, starend naar het plafond. Ze verkeerde in een permanente staat van afleiding. Ze keek haar gesprekspartners niet meer aan, maar omhoog, opzij, achter zich, alsof iemand haar op de hielen zat. Dat deel klopte. De journalist werd er ongeduldig van.

Ze vergat dingen. De deur op slot doen. De sleutel. Waar de auto stond. Waarom ze de stad in was gegaan. Niet bepaald zaken die ik nog niet over vrouwen wist. Maar deze vrouw was er zeker van: het was de ruis.

Ik nam een sigaret. Vroeger was roken een symbool van gezellig samenzijn. Nu maakt het je eenzaam. Dat vind ik een uitstekende ontwikkeling. Het geeft me de kans om ongestoord na te denken.

De vrouw vertelde dat ze niet alleen was. Een annonce in een regionale krant had haar op het spoor gebracht van enkele lotgenoten. En nu zocht ze contact met de ouders van de verdwenen meisjes want ze wist het zeker: hier was iets aan de hand, er hing iets in de lucht, er was íéts.

We vergeten het vaak, maar is dat niet wat iederéén wil, waar iederéén op hoopt, altijd? Dat er iets is? Zulke vrouwen komen niet uit de lucht vallen. Maar wie er wat van zegt, wordt niet gehoord.

De journalist probeerde voorzichtig enige sceptische opmerkingen te maken zonder al te kritisch te worden – ik geloof dat hij er zelfs een klein grapje tegenaan gooide. Dat is de kunst van het moderne televisie maken: je gasten en je kijkers als debielen behandelen en hun tegelijk het gevoel geven dat ze serieus worden genomen. Het is een dunne koord om op te dansen, al lijkt niet iedereen dat te beseffen.

De vrouw bleef onverstoorbaar.

Hij zat niet in hun hoofden. De ruis was overal. Hij hing over hun leven als een onzichtbare stofwolk. Hij doorkliefde moeiteloos deuren, muren, ramen, gedachten. Een schijnstille luchtverplaatsing was het, waar geen stofzuiger of stereo tegenop kon. De ruis concurreerde niet met andere geluiden. Hij hoefde ze niet te overstemmen. Hij hoefde er enkel maar te zijn. Merkwaardig.

Ik liet de rook uit mijn neusgaten drijven terwijl ik mijn kin betastte. Op televisie viel de term 'flicker noise'.

De vrouw deed er nog een schepje bovenop. Ze beweerde dat de reeks verdwijningen van de afgelopen weken hadden plaatsgevonden op plekken waar zij en haar lotgenoten de ruis hadden gehoord. Compleet ongeloofwaardig verhaal – wie het in een roman of film zou verwerken, zou feestelijk uitgelachen worden. En terecht. Maar de journalist weigerde haar de mond te snoeren.

Curieus hoe dat in zijn werk gaat. Het duurt altijd een hele poos voordat zulke figuren ernstig worden genomen maar als het dan uiteindelijk toch gebeurt – bij gebrek aan alternatief – wordt hun verhaal al snel onaantastbaar en vrij, als een tiran.

Ook nu weer. In de dagen na de uitzending gingen meer media aandacht besteden aan dit bizarre verhaal. Het gaf de nieuwswaarde van de verdwijningen een nieuwe impuls en niemand werd in een kwaad daglicht gesteld. Ook niet de vrouwen zelf wier doen en laten op het moment van de verdwijningen geen aanleiding gaven tot verdenking – dat ze dat überhaupt hadden gecontroleerd. En hoewel de meeste journalisten kritisch verslag deden, verspreidde het besef zich langzaam maar zeker over het land. Dat moet je de media niet leren: het aanwakkeren van vermoedens door ze staalhard te ontkennen. Steeds harder gingen ze schreeuwen, daarin gretig geholpen door de autoriteiten: 'Er is niets aan de hand!' Waarop de mensen nog harder gingen rennen, als zombies in het wilde weg door elkaar, alsmaar luider roepend: 'Geen paniek! Geen paniek!'

Het was klassiek. Iedereen voelde zich gesterkt. De media. De vrouwen. De ouders van die arme meisjes. Ouders in het algemeen. Je kan het ze niet kwalijk nemen. Het was alsof een persverse opluchting bezit van hen nam. Het mysterie had een functie gekregen en het land spitste collectief de oren.

Zelf heb ik – tot op dit eigenste moment – geen seconde getwijfeld. Aan dit soort circus doet Ome Lex niet mee. Mensen horen sowieso beter wanneer ze angstig zijn. Dat is bewezen. Althans, dat heb ik weleens gelezen.

Wanneer ik het op deze manier vertel, lijkt het misschien niet veel voor te stellen. En ik mag graag mopperen op de wereld die de mensen voor zichzelf verzinnen. Dat is waar. Maar wonderlijk genoeg is mijn zienswijze – waarvan ik Martha nog heb trachten te overtuigen – nu verworden tot bittere ironie. De realiteit heeft mij in een houdgreep. Probeert mij te breken en te bekeren tot een geloof dat ik niet verdien. Om van Martha nog maar te zwijgen. Het is een schrale troost te weten dat zij Billie en mij nu niet kan zien.

Nooit hebben de mensen beter gehoord dan de afgelopen tijd. En ik besef dat de angst met elke nieuwe verdwijning de volumeknop in hun hoofden genadeloos verder opendraait. Het is allemaal zo voorspelbaar, als het kwaad.

Het is een prachtig gazon, aan de zijkanten afgezoomd met goed onderhouden bloemperken: voornamelijk rozenstruiken, die uitbundig in bloei staan. Links in de hoek, aan de rand van een vijver, staat een krulwilg. Een grote, wilde boom. Rechts, in de andere hoek, een schommel voor de kinderen. Aan de achterzijde eindigt het grasveld bij een hoog, stalen hek dat over de volle breedte van de tuin met klimop is begroeid met uitzondering van de vandaag openstaande traliedeur in het midden, die toegang geeft tot het achterliggende gebied. Een klein en dichtbevolkt terrein met een tuinhuisje, een kippenhok, en andere getimmerde objecten waarvan nut en functie minder duidelijk zijn. De grond is er bezaaid met kersenpitten en hulzen van hazelnoten, die nog niet zo lang geleden aan de takken van de bomen hingen waarvan dichte bladeren de lucht aan het zicht onttrekken. Wie zich een weg baant door deze miniatuurwildernis bereikt uiteindelijk, getooid in spinnenwebben, opnieuw een hek, dat laag is en van hout. En vanachter die laatste, gammele schutting kijkt men uit over de weilanden zoals een matroos de zee afspeurt vanachter de reling op de achtersteven van zijn schip. Een helgroen tapijt, uitgespreid tot aan de horizon: een strakke streep onderbroken door wat bomen en het silhouet van een dorp. En nog verder dáárachter: de zee die hier eeuwen geleden is verdreven.

Woorden bewegen zich loom voort over het tafelblad. Heen en weer, als het wiegen van bladeren. Af en toe een gedempte schaterlach. Een zachte duw van een elleboog in een zij. De gasten zitten rond houten klaptafels. Wie goed kijkt, kan zien hoe de tijd geruisloos stukken uit de kring heeft gehapt en ze naar de vijver heeft gedreven, waar zich een tweede, veel kleinere cirkel van genodigden heeft gevormd, met de schaduw van de wilg als alibi. En tussen die twee kringen staat de trampoline waar het Aziatische meisje net af sprong. Ze volgt de twee jongens die met de bal naar de achtertuin lopen, waar jonge stemmen weerklinken. Onderweg strijkt ze met haar hand door de krullen van een klein kind, blond als vlas. Het kijkt niet op maar gaat geconcentreerd verder met het plukken van gras. Voor een buitenstaander is het zonder twijfel een realistische imitatie van willekeur.

Op de tafels staan drank en zilverkleurige schalen die in het felle zonlicht vlam lijken te vatten. Wilde handgebaren jagen wespen weg. Hier en daar een handtas op de grond. Een trui over de rugleuning van een stoel.

Ome Lex gaat voorzichtig zitten. Naast Martha, op een hoek. Niet langer dan enkele seconden weerspiegelt zijn beeltenis in de glazen van grote zonnebrillen, en de pupillen van onbedekte ogen die hem omringen. Het lijkt alsof de stilte óp hem valt. Er wordt vriendelijk geknikt. Hij krijgt een glas ingeschonken. Goedkope Spaanse rosé, de klassieke handlanger van verlammend hete zomerdagen als deze.

Ome Lex schikt het jasje van zijn duifgrijze pak en krult zijn tenen in zijn schoenen – suède mocassins met kwastjes. Zijn sokken glijden over de gladde zool, nat van het zweet. De gasten hervatten hun gesprekken, nu op iets luidere toon, in een iets levendiger ritme terwijl hun blikken hem onderwijl blijven prikken, alsof er een zweer op zijn neus zit. Ze zwerven om hem heen, tikken hem aan, duiken weg, als plagerige kinderen. De kleine manoeuvres die om aandacht vragen. Het schrapen van de keel. Een klap in de handen. En dan niet kijken, maar schichtig in het gesprek verdwijnen. Alsof zij hem bespieden en hij hen doorziet.

Het zijn witte tuinstoelen, van hard plastic. Wie al te comfortabel achteroverleunt, voelt de achterste twee poten doorbuigen. Ome Lex schuift zijn billen naar voren, en duwt zijn knieën tegen elkaar. Het ziet eruit alsof hij ieder ogenblik de benen zal nemen. Martha legt haar hand op zijn arm en begroet hem met de vraag of hij papier en een stift heeft meegenomen.

'Ge weet dat de kinderen erom zullen vragen,' zegt ze.

Dat is zo. Overal waar Ome Lex lang niet is geweest. Dat is het beeld dat is achtergebleven in de hoofden van wie hem vroeger heeft gekend. Hij slaat met zijn vlakke hand op zijn borst. Stift en papier. Er zijn er nog die lachen – anderen zwijgen in verwondering.

Dirk, de gastheer, vertelt hoe hij Hilde, zijn vrouw, nooit had leren kennen zonder Ome Lex. Hij tovert het verhaal tevoorschijn als een sleutel die hij al die tijd kwijt was, maar nu plots terugvindt in zijn eigen broekzak. De aanwezigen lachen, opgelucht, en trekken collectief de wenkbrauwen op. Ome Lex maakt een vergoelijkend gebaar, zegt dat wat Dirk vertelt bezijden de waarheid is, dat geluk zonder verdienste is. Hilde bloost, legt haar rechterhand op haar hals, haar linkerarm om Dirk heen en moedigt hem aan. Het is zo'n mooi verhaal. Waarop Ome Lex niet anders kan dan zich alles te laten welgevallen, schoorvoetend doch welwillend. Hij luistert aandachtig, verplaatst zich nog een beetje verder naar voren, tot hij op de rand van de stoel zit, zet zijn linkerhand op zijn linkerknie, laat zijn rechterarm rusten op zijn rechterdij. De positie van een ervaren causeur. Nu is hij klaar om het woord over te nemen, nu hij goed is gepositioneerd. Hij geeft Dirk de kans de toon te zetten en dan steekt hij zijn vinger in de lucht, als een leerling die het juiste antwoord weet. Wanneer Dirk knikt, begint hij te vertellen. Hij zet zich aan het roer van het verhaal, bestuurt de geschiedenis als een kapitein die het vertrouwen van de passagiers tracht te winnen met een anekdote over een storm op zee of een dreigend kapseizen. Hij praat rustig, maar gedreven. Geanimeerd. Hij is het niet verleerd. Straks zal hij de stift in zijn hand nemen en met het papier op zoek gaan naar een uitdager. Straks. Eerst het verhaal. Het is zijn rol: die van zendeling-clown. Zo is het altijd geweest. Zolang het publiek kaartjes blijft kopen, zolang moet de nar verder spelen.

Het gezelschap luistert geboeid en lacht op de juiste momenten. Het zijn fatsoenlijke mensen. Zo fatsoenlijk als vrijwel iedereen.

Martha knikt mee terwijl Ome Lex het aan Dirk overlaat om het verhaal af te ronden. Ze volgt met haar ogen de wespen die boven de schalen op de tafel dansen. Af en toe kijkt ze omhoog, houdt het hoofd schuin, zoals mensen doen wanneer ze proberen te luisteren naar iets waar anderen geen acht op slaan.

Dirk roept naar een jongen die uit het huis de tuin in komt gelopen dat hij de deuren moet dichthouden, want die wespen, en hij maakt een slaande beweging naar een vet exemplaar dat net op de tafel wil landen. De wijn uit het glas dat hij raakt spat op. Een milliseconde lang lijkt het alsof er een grillige rode wolk boven de tafel hangt.

Dan stort de wijn zich naar beneden, over de broek van Ome Lex, als een waterval. Hij dringt door de stof heen, en bereikt alras zijn onderbroek.

Ome Lex kijkt naar de rode vlek tussen zijn benen.

Iedereen om hem heen veert op in eensgezind afgrijzen. Ogenblikkelijk komt de hulpverlening op gang. Het meest alert reageert een koppel dat op enkele rondingen na haast niet van elkaar te onderscheiden is. Allebei hebben ze korte, stijve haren en zij draagt een nauwelijks vrouwelijker variant van zijn jeans en geruit hemd met korte mouwen. Luisterden zij zonet nog onbewogen naar elke anekdote, strak voor zich uit kijkend, als patiënten in een wakend coma, dan komen zij nu abrupt tot de hoogste staat van bewustzijn. De man neemt gedecideerd het heft in handen. Of beter gezegd: een zoutvat. Hij schroeft de dop eraf met twee, drie krachtige draaibewegingen en duwt het in de handen van zijn vrouw. Met een korte beweging dirigeert hij haar in de richting van het slachtoffer, zonder iets te zeggen. Een militair. En met militaire precisie begint zijn adjudante het zoutvat te ledigen op het kruis van de getroffene.

'Niet doe-hoen!' Een klein, pezig lichaam versierd met permanente krullen stormt in een wilde galop naar het huis.

'Afwasmiddel en azijn!' Dat zijn haar laatste verstaanbare woorden voordat ze in de keuken verdwijnt, foeterend in verder onbegrijpelijke toverformules.

'Melk!' roept iemand haar na.

Martha corrigeert. Beheerst. Ze is het gewend.

'Melk werkt alleen bij katoen.'

Dan richt ze zich zonder een reactie af te wachten tot Ome Lex en vraagt: 'Is uw broek van katoen?'

Op slag kijkt iedereen opnieuw naar hem, alsof hij de

winnende cijfers van de lotto gaat voorspellen, maar hij weet het niet, Ome Lex weet niet of zijn broek van katoen is. Hoe zou hij dat kunnen weten?

En al die tijd worden de gebeurtenissen onophoudelijk op de gevoelige plaat vastgelegd door een flink uit de kluiten gewassen versie van Paulus de Boskabouter die niet aarzelt in te zoomen op alle betrokken partijen en lichaamsdelen, alsof hij bewijsmateriaal verzamelt.

Alternatieve behandelmethodes gaan nu in rap tempo over tafel. Er heerst opwinding. Ach, opwinding. Onmacht die een uitweg zoekt. Een mens wil iets, vindt iets, maar vindt geen gehoor. Dat borrelt en dat gist. Dat frustreert. Dan volgt de opwinding.

'Witte wijn, doe er witte wijn op – is het rode?' Ome Lex knikt.

'Maar er zit al zout op!' De Militair, die de zaken overziet en wijst op het lege zoutvat in de handen van zijn echtgenote.

De vrouw knikt en zegt: 'Dan heeft het geen zin meer.'

Even dreigt de berusting toe te slaan maar dan komt de dame die zonet was verdwenen weer uit het huis gestormd met in haar armen een doek en afwasmiddel en azijn en een kruimeldief waarmee ze eerst het zout in zijn schoot, al donkerrood gekleurd, onstuimig opzuigt waarna ze handig een haastig toegeworpen servet hanteert om het afwasmiddel en de azijn in zijn kruis te wrijven en zo zit Ome Lex daar, omsingeld door een dozijn angstige ogen en een semi-professioneel fototoestel gericht op de doortastende hand van een vrouw die in zijn kruis wrijft terwijl de discussie over welke de meest efficiënte absorbeertechnieken dan wel niet mogen zijn om toe te passen in situaties als deze onverminderd voortgaat.

Loopt het niet vaak zo wanneer een mens in nood verkeert? Iedereen roept om een dokter tot er iemand bij het slachtoffer is neergeknield – dan weten ze precies hoe ze het zelf hadden gedaan.

'Zo,' zegt de vrouw. 'Dat was op het nippertje.'

Ze zit op haar knieën, vóór hem. Hij kijkt haar aan. Eerst kijkt ze langs hem heen. Dan weer achter zich. Alsof ze zich ervan wil vergewissen dat het gevaar geweken is. Dan richt Ome Lex zijn ogen op haar hand, die nog steeds op zijn kruis rust. Hij knipoogt. Ze trekt de hand terug. Staat op. Kijkt opnieuw om zich heen.

Tussen Martha en Ome Lex is een magere jongeman komen staan. Hij heeft een bril op. Een modern, zwart en zwaar montuur. Hij vraagt: 'Wat is er aan de hand? Kan ik ergens mee helpen? Dag Ome Lex.'

Het is Thomas, de jongste zoon van Martha. Hij schudt de hand van Ome Lex als de man die hij nu is en hij kust zijn wang als het kind dat hij was toen hun gezin Ome Lex leerde kennen, nu bijna twintig jaar geleden.

Aan de andere kant van de tafel zit Simon, zijn oudere broer, die zich niet met het wijnspektakel heeft bemoeid. 'Hier zie, meneer Brillemans. Ge zijt er weer goed op tijd bij.'

Hij hangt onderuitgezakt in zijn stoel, de poten buigen zo ver door dat ze haast breken. Zijn vingers spelen met de stoppelbaard die hij sinds jaar en dag cultiveert en waarin sinds kort ook grijze haren zichtbaar zijn. In zijn andere hand houdt hij een moderne telefoon vast en hij veegt met zijn duim over het scherm. En nog eens. En nog eens.

'Hebt ge stift en papier bij, Ome Lex? Kom ge straks bij ons zitten? Goed u weer te zien,' zegt Thomas. 'Te lang geleden.' Hij draait zich om zonder het antwoord af te wachten, en loopt weg.

'Stift en papier, stift en papier,' zegt Simon. 'Fatsoenlijk bereik, ja. Dat zou wat zijn.' Zijn duim glijdt nog steeds over het toestel. Hij knipoogt naar Ome Lex en roept dan een jonge vrouw. Een van de weinige vrouwen die geen bloemenjurk draagt. Donkere ogen, smalle taille.

'Schat. Hebt ge dat gezien? Hè? Hey! Isabelleke? Gezien?' Hij wijst naar zijn eigen ogen en dan naar Thomas, die bijna bij de vijver is. 'Precies 'n echte artiest, hè. Met die bril.'

Isabelle staat op en loopt naar het meisje met de blonde krullen, dat nu onder de trampoline zit en gras voert aan een pop.

Ome Lex zegt tegen Simon dat ze hem wellicht niet heeft gehoord. Hij volgt Isabelle met zijn ogen tot ze bij het kind is. Daarna glijdt zijn blik in de richting van de groene muur, die de achtertuin verbergt. Er weerklinkt vrolijk gejoel. Niemand kan zien wat daar gebeurt. Niet vanaf hier.

De situatie is onder controle. De warmte, die enkele ogenblikken vergeten leek, daalt opnieuw neer over het gezelschap.

Er vliegt een straaljager over, om te voorkomen dat het stil blijft.

'Waar is Billie?' vraagt Martha.

'Och, daarachter,' zegt Dirk. 'Ze zitten allemaal bij de kippen. Arme beesten.'

'Is het hek van voren goed dicht, jongen?'

'Driedubbel slot erop, Oma, is 't niet waar, Nonkel César?'

'Zo dicht als een non,' zegt de man naast hem.

'Gelukkig is Oma er nog om alles goed in het oog te houden,' zegt Dirk.

Hilde staat op. Ze klapt in haar handen en zegt: 'Goed, als iedereen efkens wil luisteren, dan zal ik zeggen hoe we het gaan doen, hè.'

En zonder af te wachten of er gehoor zal worden gegeven aan haar verzoek, gaat ze verder.

'Tante Corry heeft dit jaar het voorgerechtje gemaakt. Dus laat het u smaken en dan wil ik vragen dat we vóór het buffet de foto maken. Zodat ge er allemaal nog fatsoenlijk op staat.'

Iedereen luistert en knikt geconcentreerd.

'Goed. Dirk. Open die fles rode wijn die we in Perpignac hebben gekocht.'

Dan opnieuw tot de hele tafel: 'Het is Franse wijn.'

Het gesprek kabbelt voort als een beekje waarvan de stroom nog geen papieren bootje mee zou kunnen sleuren. Tante Corry verdwijnt naar de keuken. Dirk neemt de fles, laat het etiket zien – een politie-inspecteur die het bewijs in handen heeft dat de zaak rond maakt.

En dat is het sein waarop Simon heeft gewacht, waarop hij altijd wacht, niet specifiek op dit sein, deze fles of deze wijn maar wel: dit moment, dit soort gelegenheid waarop iemand ongewild kennis veinst. Simon, de ongekroonde Koning Eenoog die elk land der blinden op de knieën krijgt met een blitzkrieg aan feiten, cijfers, waargebeurde verhalen van horen zeggen en ongepubliceerde onderzoeksresultaten van universiteiten die niemand kent. Rode wijn, witte wijn, stereo-installaties, airconditioning, mobiele telefoons, vakantiehuisjes op Mallorca, harde bewijzen voor het bestaan van telepathie: de diversiteit aan onweerlegbare wetenswaardigheden en tips van massief goud waarvoor een mens bij hem terechtkan is even indrukwekkend als in zijn ogen ondergewaardeerd.

Hij staat recht, neemt de fles van Dirk af, schenkt zichzelf een glas in en begint de wijn te walsen, furieus, driftig. Druppels spatten op tafel. Dan houdt hij het glas in de lucht en bestudeert de rode vloeistof alsof het een gevaarlijk explosief betreft. Met zijn tong maakt hij zachte, smakkende geluiden. Tot slot van het ritueel steekt hij zijn neus diep in het glas en snuift zo nadrukkelijk dat het beslaat.

'Dus gij zegt dat dit Franse wijn is.'

Het papieren tafelkleed veert op van de collectieve zucht die over de tafel glijdt. Iedereen weet wat er nu gaat komen en het vooruitzicht doet de hoofden buigen, berustend in het onvermijdelijke.

Ome Lex kijkt de tafel rond. Hij zegt dat Perpignac nog altijd in Frankrijk lag, de laatste keer dat hij het had gecontroleerd, en knikt Simon toe. Het is het eerste grapje dat hij maakt deze middag. En heeft het gezelschap hem tot nog toe welwillend en respectvol in hun midden geaccepteerd, dan worden hem nu blikken toegeworpen alsof het stenen zijn. Ome Lex kijkt naar Martha en haalt zijn schouders op.

Simon steekt van wal. Gretig put hij uit een overvloedige voorraad namen van kastelen, streken en druivensoorten. En bij iedere volzin, ieder handgebaar, kun je de ogen van zijn tafelgenoten steeds dieper hun kassen in zien rollen, waar ze rond blijven tollen, op zoek naar een medestander. Bij iedere 'maar goed' richt het publiek zich op, hoopvol tegen beter weten in, om vervolgens weer neer te zakken in hun stoel wanneer de volgende anekdote begint. Iets met fraude, dioxine, en vervalste etiketten. Simon debiteert zijn kennis als een geestdriftige professor. Af en toe staart hij in de lucht en trommelt met zijn vingers op de stoppels die zijn kin bedekken, zoekend naar de juiste formulering voor nog een wetenswaardigheid waar niemand op zit te wachten of een vakterm die hem niet te binnen wil schieten.

'Wacht, Isabelle weet het nog.' En hij roept: 'Schat, schahat! Wat was die wijn ook alweer, ge weet wel, toen op dat jubileum van dinges?' Dan weer zachter: 'Martha, waar was dat ook alweer, allez Nonkel César, ge waart erbij, met die karaoke aan het eind. O, wat hebben we toen gelachen. Dát was goeie wijn.'

Hij gaat door, put zijn gehoor verder uit, als een slavendrijver.

Ondertussen dribbelt Tante Corry rond de tafel als een heks die niet kan wachten tot de aanwezigen buiten bewustzijn raken.

'Proef! Proef dan!'

Ze stoot mensen aan als een krolse kat, in haar handen een dienblad met daarop glaasjes die gevuld zijn met een groene substantie waarop garnalen zitten, alsof de beestjes in die glazen hun gevoeg hebben gedaan. Af en toe duikt ze pardoes achter iemand op, legt haar borsten in de nek van het slachtoffer tot dat toegeeft dat het lekker is. Of ze probeert de Kabouter, haar echtgenoot, te lokken om een foto te nemen want ze heeft haar eigen tafeldecoratie meegebracht: paillettes, nepgouden bladeren, kunstig gevouwen papieren servetten en kaarsen die ze van Simon niet mag aansteken – niet omdat het nog klaarlichte dag is, maar omdat het slecht is voor de wijn. Hij zegt dat wijn héél gevoelig is voor temperatuurschommelingen, je mag nooit kaarsen aansteken die dicht bij wijnflessen staan, alsjeblieft. Hij zucht, walst de wijn in zijn glas, dat glanst in de brandende zon, en neemt nog een slok.

'Waar is Billie?' vraagt Martha opnieuw.

'Begint niet, hè,' zegt Dirk. Hij kijkt om zich heen, alsof ze afgeluisterd worden.

'Hilde is al bang genoeg. Billie is gewoon daarachter, met de rest van de bende.'

'Ja, ja,' zegt Martha. 'Ik heb haar gewoon al een tijdje niet meer gezien.'

'Ja, ja,' zegt Dirk. 'Maar dan moet ge er dus niet over beginnen, hè, da's alles. Of hoort gij misschien een geheimzinnige ruis af en toe?'

Hij knipoogt naar Nonkel César.

'Hebt ge dat meegekregen? Die historie van die flikkerruis?'

'Stille ruis. Ze noemen het stille ruis,' zegt Martha.

Even wordt het stil.

'Dat klopt,' zegt Nonkel César uiteindelijk. 'Bij flikkerruis verdwijnen er alleen homo's.'

Dirk slaat hem op de schouder en Nonkel César lacht, een hoog schor gegiechel.

Simon verheft zijn stem. Hij raast maar door, hij heeft het niet door, hij is niks meer dan een fase die elk feest opnieuw opduikt als onkruid. Zijn gehoor zoekt zo onopvallend mogelijk een nieuw gesprek of een bezigheid terwijl ze zorgvuldig het oogcontact bewaren met de predikant van dienst. Ze sluiten zich mentaal af, vermommen hun verveling in een activiteit, eender welke. Ze trekken hun kousen op. Fatsoeneren hun jurk. Alles is boeiend.

Ondertussen mengt ook de Militair zich in het gesprek tussen Dirk en Martha. Elke zin die hij uitspreekt is een bevel.

'Zeven procent meer kinderen verdwenen. In de afgelopen zes weken. Ten opzichte van vorig jaar. Dat is een feit.'

'Zeven procent,' herhaalt zijn vrouw.

'Zeven.'

'Op zeven weken.'

'Zes.'

'Zes. Ge kunt ervan vinden wat ge wilt, hè.'

'Maar dat zijn de feiten,' besluit de Militair en hij tikt met zijn hand op de rand van het tafelblad.

Simon kijkt hun kant op, en heel even zegt hij niks.

Waarop Tante Corry haar kans schoon ziet om de uitnodiging voor haar pensioneringsfeest op te diepen uit haar tas. Het is een onwaarschijnlijke interventie maar het succes is er niet minder om. Iedereen stort zich op de uitnodiging als een stel hongerige honden. Trots steekt Tante Corry de kaart in de lucht en de meute die haar omringt hapt en krabt en springt om er een glimp van op te kunnen vangen. Het is een eigen ontwerp, in de vorm van een rebus: een toonladder om haar muzikaliteit te illustreren, kleine voeten om aan te geven dat ze nu voor de kleinkinderen kan gaan zorgen – de jongste is net geboren – een vliegtuig voor de verre reizen die ze wil gaan maken. Iedereen vindt het origineel.

'Ja, ik kon jullie niet allemáál uitnodigen maar ik dacht: dan hebben ze het toch gezien.'

En daar wordt zo hard instemmend op geknikt dat de koppen bijna over tafel rollen. Een grondige analyse van het gastenbeleid kan altijd straks nog, en petit comité van gelijkgezinden, maar niet nu, nu moeten de rijen gesloten worden, en de vaart in het gesprek blijven.

Simon zet zijn glas op tafel en gaat zitten. Hij kijkt zwijgend naar de vijver alsof daar iets gebeurt wat hem interesseert. Het gerommel van een trein drijft tot in de tuin, gedragen door de hitte.

ZOALS DE WALVISSEN ZINGEN

—1

1

Martha is het gewend. Ja, dat is het lot van een moeder. Zelfs wanneer haar haren grijs zijn, de huid uitgedroogd, de lippen vermoeid van de wijsheid die haar glimlach moet dragen. Iedereen kijkt naar de moeder. Blijft kijken. Wachtend tot de verlichting komt, vrolijk als een kind, gedragen door haar woorden. Martha weet wat men van haar verlangt. Ze willen dat ze zegt dat alles meevalt. Dat ze een voorbeeld geeft, uit vroeger tijden, een herinnering die het heden tot de orde roept, en nederig het hoofd doet buigen. Maar deze keer had ze niets kunnen bedenken. Waarom kon ze niets bedenken? Daar zijn moeders toch voor?

Martha fronst de wenkbrauwen. Ze zit op een sofa met haar ogen gesloten. Ze hoort de naweeën van het nachtelijke onweer, vloeibare morsecodes, die zich verzamelen in de dakgoot en via regenpijpen door de muren van het huis glijden. Ze heeft geslapen maar dat weet ze nu nog niet. Ze weet nog niet dat het water is. Druppels die tikken. De wrijving met het zink vervormt de geluiden die zij hoort tot de stemmen in haar hoofd. Radiozenders van verdwaalde schepen die wanhopig met elkaar in contact proberen te komen, smachtend naar een luisterend oor. Een web van kreten en instructies, driftig door elkaar heen converserend met niemand. Het gaat om een ramp, een crisis, oorlog. Staccato updates van een noodsituatie zoals je weleens ziet in een film. Het hoofdkwartier van een strijdmacht in contact met haar eenheden, verspreid over het front. Om welke situatie gaat het? Martha probeert het te horen. Ze herkent de vorm van de woorden: hun lettergrepen en klanken, hoe ze gejaagd het luchtruim doorklieven en korte stiltes laten vallen, als bommen. Maar ze herkent de woorden niet. Hun betekenis is leeg. Ze kan niet horen wat ze zeggen. Er is iets aan de hand. Maar wat?

Langzaam, heel langzaam, verwijderen de stemmen zich uit haar hoofd, zoeken hun plek in de fysieke werkelijkheid weer op, kruipen achter de lijst met een foto van de familie aan de muur, achter het behang, het pleisterwerk, het timmerwerk, dwars door het cement, en het zink waarin het wegdrupt tot Martha het herkent: water. Regenwater. Het regent. Het heeft geregend. Onweer. Billie. Lex. Hilde. Waar ben ik? Waar is iedereen? Waar zijn mijn kinderen?

Haar tong smaakt naar lood, haar hoofd kapotgepiekerd. Schroot.

De laatste jaren heeft ze het steeds vaker. Ze zitten samen in een kamer, of in de tuin, zoals daarstraks. Iedereen arriveert, het aperitief wordt geschonken en ze kan zich niet van het gevoel ontdoen. Waar is iedereen? Zijn dat mijn kinderen? Waar is iedereen toch gebleven? Alsof datgene waarvan zij niet zo lang geleden deel uitmaakte, zich nu voor haar ogen afspeelt als een film. Hoe was dat zo gekomen? Wanneer was het begonnen? Wanneer wás dat moment? De hele middag had ze geprobeerd het te zien.

De kinderen zaten bij de kippen of in het tuinhuisje. Soms kwamen ze de tuin in gerend, sprongen op de trampoline, dronken een glas cola, aten chips, tot iemand een nieuw spel bedacht. Eén vrolijke, rondrazende stroom beweging en geluid. Martha had ervan genoten. En tegelijk werd ze er triest van omdat ze niet anders kon dan zich afvragen wat er van hen zou worden en wat er van haar geworden was. Ze waren nauwelijks van elkaar te onderscheiden, een mensenoog zou onmogelijk de kiem kunnen zien, de kiem van wie ze ooit zouden zijn of wat hen uit elkaar zou drijven. Wanneer was dat moment? Wanneer stoppen kinderen met één te zijn? Wanneer slaan zij hun eigen weg in, zoekend naar de plek waar eenieder uiteindelijk aanbelandt? Waar zit dat verschil, dat later pas zal blijken, zoals stukken klei die worden gekneed door de handen van de tijd? Martha wou dat ze dat moment bij haar eigen kinderen had herkend. Ze had het vastgepakt, tot stilstand gebracht, doodgeknepen als een insect.

Die middag, nu ze voor het eerst in lange tijd – jaren, het moeten meer dan tien jaren geweest zijn, twintig? – haar eigen kinderen én Ome Lex samen op één plaats zag, werd ze getroffen door een reeds lang aangekondigd inzicht, als door een blikseminslag.

Simon. Vroeger was hij aandoenlijk. Nu zag ze de uitgedoofde trots in zijn ogen, de valse vrolijkheid, de als interessante weetjes vermomde woede die hij in zijn wijnglas walste. Elk compliment te luid, elke grap te gretig, vooral als hij kans zag ze ten koste van zijn broer te maken. En dan die snelle blik naar Isabelle – een vermoeide acteur in een komische serie die vergeefs op de lachband wachtte.

Hilde die altijd zo goed wist dat ze nooit te hoog zou scoren, altijd om zichzelf kon lachen, echt oprecht kon lachen, van plezier. De hele middag leek ze verdoofd, zich vastklampend aan Dirk, haar man. Billie, haar dochter. Het feest. Alsof het leven haar krachten te boven ging. Dat dwangmatige klappen in de handen ook, van wie had ze dat?

Niet van haar. Niet van haar. Het zou toch niet? Alsof geluk gedresseerd kon worden. Arme Billie.

Martha had Hilde nooit eerder zo gezien. Als kind was ze dromerig, onbezorgd, snel afgeleid. Ze kon prachtig tekenen – een kunstenares in spe, zo had Ome Lex haar genoemd toen hij voor het eerst bij hen thuis op bezoek was gekomen. Nu stond ze met een vliegenmepper achter het buffet, hield haar handen op de schouders van haar dochter gedrukt als een cipier, leidde haar gasten door de verschillende stadia van het feest als een kleuterklas. Verbeten lachend. Alsof ze het lot om de tuin wilde leiden. Martha heeft het vaak bij andere mensen gezien. Andere mensen dan haar kinderen.

Het ongeluk kent de geur van wie angstig is. Het heeft geduld, het komt je zoeken, in de nacht, wanneer je eindelijk slaapt, en niets meer verwacht.

Thomas, haar jongste, leek niet onder de indruk van wat er was gebeurd. Wel zag Martha dat hij niet met zijn broer of zuster sprak. Ze had gehoopt dat de komst van Ome Lex oude tijden zou doen herleven. Ze had hen samen aan de tafel willen zien zitten, met papier en een stift. Simon, Hilde, Thomas. En hun kinderen, haar kleinkinderen, delend in de herinneringen van hun ouders. Dat was niet gebeurd.

Niemand kan de tijd verdrijven. Je kunt hem onmogelijk terug zijn hok in jagen, het is geen hond, dat had ze moeten weten. Het was mooi geweest. Het proberen waard.

Thomas leek alles onbewogen te accepteren, ook daarstraks, toen iedereen over elkaar heen tuimelde, plannen weersprak met dommere plannen, met name de mannen, altijd de mannen. Terwijl de moeder, Hilde, in een hoek van de kamer verdween. Zo gaat het, al eeuwenlang. Het is de moeder die haar kind voedt. De moeder brengt haar kind groot. De moeder brengt haar kind naar het front en haalt het lichaam weer op. De moeder zorgt voor het zieke kind. Zij doet alles. Zij legt heel haar hart en ziel in het kind dat zij groot moet brengen. Vrouwen leven lang, langer dan mannen, ook al worden ze oud en ziek en bang. Misschien dat het daarom altijd mannen zijn die plannen maken, opgejaagd door het besef dat de tijd hen op de hielen zit. Maar Thomas leek zich overal aan te onttrekken. Hij leek niet bang. Hij leek niet gelukkig. Was het die bril die zijn ogen hun glans ontnam? Hij had een vrouw nodig. Dat kun je maar zo vaak zeggen.

Ze was hun moeder. Ze had niet níét van hen kunnen houden als ze het had gewild. Dus toen de emoties gisteravond hun hoogtepunt bereikten, als een reeds lang aangekondigde eruptie, had ze haar armen om Hilde heen geslagen, en de troostende woorden gesproken die van een moeder worden verwacht. Maar dit was geen slecht schoolrapport of een gebroken been. Er was geen ervaring of wijsheid waarop zij terug kon vallen, zoals van moeders wordt verwacht. Alleen de angst, de angst dat het gebeuren zou, die kende ze als geen ander. Hilde was waakzaam geweest. Zoals het hele land al wekenlang waakzaam was. Daar had het niet aan gelegen. Dus wat kun je dan nog zeggen, als moeder?

Martha denkt aan de beelden, de krantenkoppen, schreeuwend als gekken, steeds luider en groter en dommer met elk meisje dat van de aardbodem verdween. En nu waren zij aan de beurt.

Natuurlijk, het kwaad is ouder dan de mens. Maar nooit eerder leek de dreiging zo ongrijpbaar als de wind. Zeker de afgelopen week, met alle aandacht voor die ruis. Die geluidloze schim. Natuurlijk geloofde zij er ook niet in. Toch niet heel erg. Dat zou Ome Lex nooit accepteren. Maar het verhaal benadrukte de onmogelijkheid van het gevecht. Alle tranen, alle maatregelen, alle geruchten, niets meer dan wild schaduwboksen totdat de krachten wegvloeiden en verdampten. Wat dit drama nodig had, indien geen oplossing, was een gezicht. Zodat die stuurloze angst vrees kon worden. Een raket, gericht op het kamp van de vijand.

Als ze het had gekund, dan had Martha dat gezicht willen zijn.

'Het heeft geen zin jezelf nodeloos bang te maken,' had Ome Lex gezegd. 'Probeer de situatie te zien zoals ze is, neem afstand, ga erboven hangen, als een valk.' Hij kon het mooi zeggen.

Ze had het vaak met hem gehad over drama's die anderen hadden moeten doorstaan. Alsof het valkuilen waren die zij had weten te ontwijken. Neem nu de vader van Dirk. De vrouw van diens broer. Die arme jongen zelf. Het was hun niet overkomen, nee, in Martha's ogen was het haar oplettendheid geweest die het gevaar een andere kant op had gedreven tot het iemand had gevonden die er te gerust op was geweest. Net wanneer alles altijd goed blijft gaan, moeten we waakzaam zijn.

'Zoveel mensen lopen er nu ook weer niet onder een trein.' Haar opluchting overwon keer op keer haar medeleven. Maar de laatste tijd voelde ze zich alsof ze de grip op het leven om haar heen langzaam moest loslaten.

'Ja,' had Ome Lex gezegd. 'Het verstand komt met de jaren.'

Martha zucht. Ze denkt aan de woensdagmiddagen dat Ome Lex langskwam. Vroeger. Vroeger is een gladde aal. Ze herinnert zich de eensgezinde vrolijkheid waarmee haar kinderen om aandacht streden. De kinderen op dit feest kenden Ome Lex niet. Hij was een van de vele nonkels, in niets uniek. Ze hadden naar hem gekeken zoals ze keken naar de andere nonkels: als decor. Onderling verwisselbare oude mensen, die je negeert wanneer iets niet mag en toejuicht als ze cadeautjes bij zich hebben. Voor de kinderen zijn ze edelfiguranten, enkel van elkaar te onderscheiden door eendimensionale kenmerken en gimmicks. Ze zijn een grote dure auto, rijstepap met bruine suiker, een vijver waarin echte vissen zwemmen. Maar ook in hun levens gebeuren dingen. Dat weet een kind niet. Het is de ouderdom die de realiteit ontmaskert.

Martha had naar de kinderen gekeken en gezegd wat ze altijd zegt: 'Het is 'n rijkdom.'

En dat zijn ze. Een rijkdom voor volwassenen, omdat er nog iemand is die aan hen en het leven denkt als zorgeloos. En een rijkdom voor de kinderen, omdat ze de volwassenen niet kunnen begrijpen. Het verlangen naar gebeurtenissen dat een kind voortdrijft – een verjaardag, een uitstap, een nieuwe fiets – verandert met de jaren, tot het geruisloos in vermoedens en angst is omgezet, het onrustige gevoel dat er iets is gebeurd of elk moment kan gebeuren. Het hangt in de lucht, voortdurend, wanneer alles goed gaat, vooral wanneer alles altijd maar goed gaat, als een eindeloze zomerdag als deze waarop de kinderen eeuwig spelen terwijl de volwassenen het glas heffen en elkaar niet in de ogen kijken, maar de hemel afspeuren. Zoekend naar onweerswolken.

Martha had gehoopt dat de komst van Ome Lex haar kinderen terug zou brengen. Dom. Wat een dwaze gedachte.

Hilde, Simon en Thomas hadden plots oud geleken. Alsof er een grap speelde waar iedereen van wist behalve zij. Het idee dat alle gasten op het feest alleen waren en elkaar voor de gek hielden, had zich in Martha vastgezogen als een teek.

Maar iedereen gedroeg zich heel normaal. Dat was het rare. Misschien was dat hoe bang ze waren. Ze konden niet anders dan doen alsof er niets aan de hand was. Omdat de angst zo onbeschrijflijk groot is, dat het geheugen hem niet op kan slaan? Zoals pijn, of verdriet, zo onbeschrijflijk groot en daardoor juist verteerbaar kan zijn?

Ze mag niet klagen. Nee, ze mág niet klagen. Ze heeft al haar kinderen nog. Het is *'n rijkdom*. Ze zijn misschien niet geworden wat de toekomst hun lang geleden had beloofd, en waar ze gretig in hadden geloofd, maar ze zijn er. Er is niemand voor een trein gesprongen. Nog niet.

Ze dacht aan de vader van Dirk. Vroeger was hij goedlachs en groot. Nu was het een kleine, oude man die onafgebroken, nadrukkelijk de ogen dichtkneep, en weer opende. Het merendeel van de tijd had hij doelloos door de tuin gezworven zonder op iemand acht te slaan. Alsof hij een ochtendwandeling maakte in een lege woestijn. Iedere keer wanneer de geluiden van het spoor, aan de voorzijde van het huis, de tuin bereikten, stak hij zijn vinger op en wees naar zijn oor. Zijn ogen werden kwiek, gingen vinnig spieden als een muis totdat hij de vrouw van Dirks broer in het vizier kreeg. Dan boog hij het hoofd, en doolde verder. Een enkele keer had Martha ze met elkaar zien praten. Tenminste, de vader van Dirk sprak, en de vrouw van Dirks broer staarde in de theemok die ze overal met zich meedroeg. Martha mocht haar graag. Ze zag er ouder uit dan ze was, ging veel te warm gekleed voor dit weer en als Martha haar zou moeten beschrijven, zou ze niet veel verder komen dan: grijs. Een grijze weduwe, met een zachte, monotone stem. In de zeldzame gevallen dat ze iets zei, was iedereen op slag stil. Alsof niemand haar aanwezigheid eerder had opgemerkt, laat staan rekening hield met de mogelijkheid dat ze geluid voort kon brengen.

Ook Ome Lex en Martha hadden niet veel gesproken die middag. Dat leek niet nodig. Martha zag de familie bewegen op de radar die zijn ogen waren. Ronddwalende geesten met verloren dromen die elkaar ontweken of opzochten naargelang vetes of liefde hen dreven. Dronken brallende mannen of bange moeders die tegen hun kinderen logen. Wat anders normaal en organisch leek, werd bedacht en opportunistisch, alsof iemand een scheut azijn in hun wijnglazen had gegoten. Als je keek zoals Ome Lex keek, kreeg alles, ook de meest vanzelfsprekende dingen, een betekenis, ongevraagd, of Martha dat nu wilde of niet. Ze kon niet anders dan het zien en zich afvragen of het was wat het leek. En doordat ze zich dat ging afvragen, werden vermoedens feiten, en ergernissen haat, maar daar kon Ome Lex niks aan doen. Hij was slechts een stille getuige.

Martha opent de ogen. Tegenover haar, op de andere bank, zit Simon. Zijn hoofd hangt achteruit tegen de leuning, zijn mond wagenwijd open. Nonkel César rust met zijn gezicht tegen Simons schouder. Het vlees van zijn rechterwang, in plooien omhooggedrukt, verbergt één oog. Hij heeft een feesttoeter in zijn mond.

Vanuit de keuken drijft een scherpe geur de kamer in die zich vermengt met de stank van verdampte alcohol en slapende mensen. Martha gaat rechtop zitten en trekt aan een oorlel, als om zeker te zijn dat die er nog zit.

En langzaam komt alles terug.

Haar spieren zijn stijf. Haar botten koud. Alles doet pijn. Martha plaatst haar handen naast zich, op de rand van de bank. Ze glimlacht om Simon en Nonkel César. Zoals ze daar liggen. Als je het leeftijdsverschil wegdenkt: twee broers op de achterbank van een auto die door de nacht rijdt. Hun ademhaling is zwaar. Het is niet hun borstkas maar hun buik die opzwelt en inzakt, als een ballon. De feesttoeter bungelt uit de halfopen mond van Nonkel César als een vlag die halfstok hangt. Het papieren uiteinde is eraf gescheurd, je ziet nog net de rode neus van een clown die erop afgedrukt stond. Iedere keer wanneer Nonkel César uitademt vormt het kleine beetje lucht dat door de toeter wordt gestuurd een zacht, aarzelend gereutel. Geen doodsreutel, dat klinkt heel anders. Meer een wegstervend restje krachteloze vrolijkheid. Martha kijkt rond, probeert de gebeurtenissen op een rij te zetten. Hoe hebben Billie en Ome Lex de nacht doorgebracht? Waar zijn ze nu? Wat is er toch gebeurd? Die geur. Wat is die rare, verbrande geur die in de kamer hangt?

Aan het eind van de middag waren de zwaluwen gekomen. Om beurten vielen ze uit de lucht, als stuntvliegtuigen.

Hun bekken ketsten tegen het wateroppervlak van de vijver; een snelle slok. Dan trokken ze weer op, in een spiraal, tot in het resterende blauw.

Dan opnieuw, van voren af aan; de vrije val, de slok, een flits omhoog. En opnieuw.

Ze hadden er stil naar zitten staren. De mannen half liggend in hun stoel, vermoeid van de grappen en de drank, een glas in de hand.

'Typisch een schouwspel,' had Dirk gezegd. Hij zei altijd zulke dingen. De eerste keer dat Martha Dirk zag, was bij haar thuis. Hilde had hem uitgenodigd voor het avondeten en tot haar afgrijzen had haar moeder het zilveren bestek uit de la gehaald. Het eten verliep zoals dat ging wanneer een nieuwe liefde van haar kinderen voor het eerst aan huis kwam. Martha probeerde de conversatie gaande te houden. Hilde probeerde te vermijden dat ze vragen zou stellen die zij als gênant ervoer en de rest van de tafel besprak de nieuweling met gebarentaal en het veelzeggend bewegen van wenkbrauwen. Een *schone* jongen, zou Martha later tegen haar man zeggen. Te schoon. Na het eten had Dirk spontaan aangeboden om samen met haar de afwas te doen terwijl Hilde zich klaarmaakte om uit te gaan. Totaal onverwachts had hij haar handen in de zijne genomen. Hij had haar ernstig aangekeken en gezegd dat hij er alles aan zou doen om Hilde gelukkig te maken. De meeste moeders horen dat graag.

'Dat is goed, jongen,' had Martha gezegd. Dat leek haar beleefd.

Telkens wanneer ze Dirk nu zag toegeven aan de meligheid die de alcohol in hem scheen los te maken, zag ze opnieuw het zeepsop dat van tussen hun verstrengelde vingers op de keukenvloer droop.

Nadat Ome Lex zijn triomfantelijke optreden aan de piano had beëindigd, duurde het lang voordat iemand iets opmerkte. Hilde trachtte tevergeefs de aandacht op Billies afwezigheid te vestigen. Haar zorgen werden weggelachen. Er waren nog kinderen die moesten zingen, die een sleutelhanger wilden. Ze deden het elk jaar, iedereen een liedje of een gedicht. Dat was traditie en zeker vandaag, met zo'n mooi weer en de piano die de mannen buiten hadden gezet.

'Ze zit op haar kamer,' had Dirk gezegd.

De festiviteiten moesten doorgang vinden, de sfeer zat er goed in – ook dat was aan Ome Lex te danken geweest – en de feestgangers leken niet van plan om de pret te laten bederven door een wispelturige puber. Een voor een deden de kinderen hun liedje of dansje. Zelfs Thomas had nog een gedicht voorgedragen, ook al telde hij allang niet meer mee als kind en kreeg hij dus ook geen sleutelhanger – de ernst waarmee Hilde hem dat vertelde. Het was een mooi gedicht geweest. Over de liefde. Hij was altijd de romantische ziel van het gezin geweest; Martha voelde zich schuldig. Het had haar niet verrast dat hij geen vrouw kon vinden.

Iedereen had aandachtig geluisterd. Behalve Isabelle. Die liet zich, zoals de hele middag, leiden door het kind dat zich in de richting van de schommel bewoog, vrolijk als onschuld kan zijn. Af en toe keek ze om en Thomas, die met de rug naar haar toe stond, had zijn bril afgenomen. Het was geen leesbril. Net als zijn vader, die las ook zonder bril. Thomas zwaaide ermee door de lucht terwijl hij voordroeg, gooide zijn hoofd in zijn nek en keek omhoog, de hemel in, zo ver als hij kon. Het moest voor iedereen vreemd geweest zijn om hem in vuur en vlam te zien, terwijl hij de rest van de tijd zo rustig en gesloten overkwam.

Er was een stilte gevallen en daarvan had Nonkel César geprofiteerd. Hij stond op, stak de feesttoeter die hij in zijn mond had in zijn broekzak, en wankelde naar de piano. Geïnspireerd door het succes van Ome Lex, Thomas, en het speciaalbier dat in hoog tempo werd geconsumeerd bij wijze van digestief, achtte ook hij zijn moment gekomen. Met één hand op de klankkast van het instrument, om zijn evenwicht te bewaren, en in de andere hand een half gevuld trappistenglas, was hij met onvaste, schorre stem beginnen te zingen.

Sunny, yesterday my life was filled with rain.
Sunny, you smiled at me and really eased the pain.
The dark days are gone, and the bright days are here,
My sunny one shines so sincere.
Sunny one so true, I love you.

Hij hief zijn glas naar de lucht alsof hij daadwerkelijk de zon bezong, en hij fronste zijn voorhoofd, op zoek naar de woorden van de volgende strofe, richtte zich weer op het publiek wanneer hij ze had gevonden. Een verlopen variétéartiest.

Sunny, thank you for the truth you let me see.
Sunny, thank you for the facts from a to c.
My life was torn like a windblown sand,
And the rock was formed when you held my hand.
Sunny one so true, I love you.

En terwijl zijn lied vorderde bewoog hij langzaam bij de piano weg in de richting van de oosters uitziende vrouw die hij die middag had meegebracht – onaangekondigd, zoals gewoonlijk. Martha had horen zeggen dat ze Thais was.

Een mooie, jonge vrouw. Kleine witte bloemen in donker steil haar. Ze leek wat op Billie, maar dan een jaar of tien ouder. Kaarsrecht zat ze op een stoel, haar blik onbewogen, haar huid bruin en droog ondanks de hitte. Een bruid. Een Thaise bruid. Martha kon onmogelijk zeggen wat er in haar omging.

Nonkel César viel op zijn knieën op de grond en schuifelde zo, als een kind in de weken voordat het leert lopen, in haar richting. Niemand lachte. Iedereen keek toe, met grote fascinatie – of weg, uit even grote schaamte – maar dat leek hij niet te merken, hij ging op in zijn ode en nadat de laatste noot was weggestorven nog voordat ze zijn mond had verlaten, abrupt afgebroken door zijn roestende stembanden, stond hij op, zette zijn glas neer en nam een brandende kaars van de tafel. Opnieuw zonk hij neer, nu op één knie en Martha had zich, net als iedereen, mentaal voorbereid op wat onvermijdelijk komen zou, zo leek het. Hij bood haar de kaars aan, de vlam onzichtbaar dansend in het felle zonlicht.

'Wij zijn één. Niet twee mensen. Eén. Ik ga u gelukkig maken.'

De Thaise Bruid had stil geglimlacht naar de mensen om haar heen. Ze zette de kaars voorzichtig naast zich neer op de grond. Nonkel César stak één vinger omhoog, de nicotinevlekken sidderend in de zon.

'Eén,' zei hij.

De Thaise Bruid keek op hem neer. Zijn dunne, natte rode haren. De roodverbrande schedel die erdoorheen schemerde als een verlaten planeet. Ze nam een zakdoek uit haar handtas en depte zijn voorhoofd. Ze bleef zwijgen.

Daarna waren de zwaluwen gekomen. Ook Ome Lex leek door niemand te worden gemist. Na zijn lied aan de piano was hij in het gejoel verdwenen, opgelost in het applaus. Alsof zijn rol was uitgespeeld, zijn taak volbracht. Sindsdien had niemand het meer over hem gehad. Alsof hij er nooit was geweest. Martha had gezwegen. Ze wist dat hij op gelegenheden als deze af en toe alleen wilde zijn. Even de stilte opzoeken, een sigaret roken. Die gedachte had ze lang kunnen volhouden.

Tante Corry liep af en aan, rinkelend, met lege borden en bestek. Haar man probeerde de vogels vloekend te vangen in een beeld. De vader van Dirk laveerde tussen de zittende toeschouwers door, keek naar de vogels, schudde het hoofd, stak zijn vinger in de lucht wanneer hij weer gerommel had gehoord. De Weduwe kwam de keuken uit, haar theemok in de hand, ze had kleur op haar wangen, maar ze leek niet verbrand. Ze lachte zelfs. Zo had Martha haar al lang niet meer gezien. De Militair en zijn vrouw zaten roerloos naast elkaar. Nonkel César had de feesttoeter weer in zijn mond gestoken en iedere keer wanneer een zwaluw het water raakte, blies hij erop als een voetbalsupporter. Het was zo'n papieren toeter, die uitrolde als je erop blies.

Kets. Tuut. Kets. Tuut. Kets. Tuut.

Simon zat naast hem, zijn handen achter zijn hoofd gevouwen, zijn hemd doorweekt vanaf zijn oksels tot bijna aan zijn ellebogen. Niet fatsoenlijk, vond Martha. En dan de grappen die ze maakten.

''n Neger die curling speelt.'

'Clurling,' zei Simon.

Hij kwam overeind en trok de toeter uit Nonkel Césars mond, maar die had het blaasstuk tussen zijn tanden geklemd.

Simon grijnsde, hield het papieren deel van de toeter omhoog als een trofee.

'Nu is hij kapot,' zei Nonkel César.

'Niet huilen, Nonkel, niet huilen,' zei Simon.

Hilde was het huis uit komen lopen als een snelwandelaar. 'Ze is niet op haar kamer.' Haar lippen hadden nauwelijks bewogen terwijl ze het zei.

Dirk haalde zijn schouders op.

Hilde liep naar de achtertuin.

'Ze is niet op haar kamer, Dirk,' zei Simon. Hij ging recht zitten, hield zijn twee handen voor zich uit en bewoog zijn vingers alsof hij luchtpiano speelde. 'Woehoehoe. Wat zou er toch zijn gebeurd?' Hij liet zichzelf weer terug in zijn stoel vallen, nam zijn telefoon uit zijn broekzak en keek misprijzend naar het scherm.

Martha had gelaten toegekeken. Wat was er toch met haar jongen gebeurd? Haar oudste. Waarom moest hij toch altijd zo doen? En die lach. Waar kwam die lach van venijn vandaan?

Niet van haar. Ome Lex zei vaak: wanneer mensen niet lachen van plezier, dan lachen ze uit gebrek aan zelfvertrouwen. Of uit lafheid. Wat was er gebeurd?

Dirk grinnikte en Nonkel César had zijn kans geroken.

'Luister, Dirk, zo'n verdwijning moet niet per se altijd slecht aflopen, hè. Neem nu die dinges, die Zwitserse.'

'Oostenrijkse,' zei Simon.

'Zwitserland, Oostenrijk, allebei bergen en sneeuw. Allez, die blonde, hoe heet ze, dingeske, ze zat in 'n kelder?'

'Natascha, Natascha...'

'Allez, Taschke, ge weet wel.'

'Ja.'

'Die is er toch goed uit gekomen.'

'En dat boek heeft goed verkocht.'

'Dat bedoel ik, die is binnen. Een schoon madam. Ze is er

alleszins niet lelijker op geworden. Volgens mij is daar hard aan gewerkt, hè. Wat denkt ge? Hè?'

'Jongens.' Dirk gebaarde dat ze op moesten houden maar Simon had de smaak te pakken.

'Bon, goed, dan zijt ge inderdaad een aantal jaren lang verkracht en zo. Oké. Akkoord. Maar ze heeft geen honger geleden en nu is ze binnen. Hè? Binnen!'

'Wat zeg ik,' zei Nonkel César.

Hilde kwam de moestuin weer uit gelopen.

Simon fluisterde. 'Dirkske, hebt gij nog van die Franse wijn?'

Nonkel César begon te giechelen, streek door zijn haren en bestudeerde zijn hand, die glom.

'Ze is ook niet in de moestuin. De kinderen hebben haar al een tijdje niet meer gezien,' zei Hilde. Ze wreef met haar hand over haar rechterarm, alsof ze het koud had. Dirk stond op.

'Oké.' Hij liep naar het huis.

'Waar is Ome Lex eigenlijk?' had Nonkel César op dat moment gevraagd.

Ja, waar, had Martha gedacht. Ze zei: 'Ik denk op het toilet.'

Dat kon ook. Ome Lex ging regelmatig naar het toilet. Dat begint, bij mannen van die leeftijd. Misschien was hij op de pot in slaap gevallen? Of alsnog stilletjes alleen naar huis gegaan? Martha wilde niet denken aan wat waar kon zijn. Wanneer je bang bent, speelt de werkelijkheid geen enkele rol. Maar naarmate de tijd verstreek werd het voor haar hersenen steeds moeilijker rekening te houden met de mogelijkheid dat Billie en Ome Lex het feest níet samen verlaten hadden. Het voelde als een onvergeeflijke gedachte, waarvoor Martha zich schaamde, terwijl ze wist dat het geruststellend diende te zijn.

Rond halfzes hadden ze besloten op zoek te gaan. De Militair nam het voortouw en sprak de rest van de familie toe. Hij begon zoals moeders beginnen wanneer hun kind een stuk speelgoed zoekt.

'Oké. Iedereen. Waar hebben jullie Billie voor het laatst gezien?'

Hij wachtte de antwoorden niet af maar somde de mogelijkheden op. Bij de trampoline. In de achtertuin. Op de schommel. Iedereen zweeg.

'Oké, dus stel dat ze het terrein verlaten heeft vóórdat we begonnen met de activiteiten bij de piano. Dat was om zestien uur. Het is nu zeventien uur en vierendertig minuten. Gezien de temperatuur en de windrichting mag aangenomen worden dat de vermiste een gemiddelde snelheid van vier tot vijf kilometer per uur kan aanhouden in westelijke richting. Waarom in de westelijke richting? Omdat in het westen de zon ondergaat en het is wetenschappelijk bewezen dat de ondergaande zon een subliminale aantrekkingskracht uitoefent op een vluchteling. Dus op dit moment, zeventien uur en vierendertig minuten CET bevindt de vermiste zich op zes tot acht kilometer afstand van het hoofdkwartier. Dat geeft ons een *window* van vierentwintig uur om...'

'We moeten de politie bellen,' zei Hilde.

'En er is nog één ding dat wij zeker niet moeten doen in deze fase van de calamiteit,' zei de Militair. Iedereen had hem aangekeken, verdwaasd door zijn autoriteit en handelingsgerichtheid. 'En dat is de politie bellen.'

De Militair had zijn arm om de schouders van Dirk gelegd. Hij tuitte de lippen en fronste zijn wenkbrauwen, als ter geruststelling. 'De politie heeft een andere agenda in dezen, indien ik de zaken juist inschat. Er is momenteel geen nood om de situatie op te schalen.'

Dirk rukte zich los. 'Wacht 'ns efkens. Vermist? Doe normaal. Allez, iedereen zoeken.'

'Ja maar, Dirk,' zei Hilde. 'Hij heeft wel ervaring met situaties als deze...'

'Welke situatie?' Dirk liep weg. De anderen keken naar de Militair. Die bestudeerde nauwgezet zijn horloge.

'Normaal,' zei hij. 'Dat is normaal. Een normale reactie. Laat hem doen.'

'Zoeken!' riep Dirk.

Nonkel César stootte Martha aan: 'Zeg, is hij misschien verzopen in dat toilet?'

Martha had de schouders opgehaald.

'Zoeken!' riep Dirk opnieuw.

De tuin was groot, maar niet zo groot dat je zomaar uit het zicht kon verdwijnen. De familie had zich verspreid. Sommigen liepen naar de straatzijde, anderen gingen de wildernis in, achter de muur van klimop. Het was een doelloze actie, tot jolijt van de kinderen, die met de volwassenen meeliepen, blij met een nieuw spel. Ze riepen, ze smeekten, ze floten. Ze waren bedelaars, struinend door de nacht, van huis naar huis, een bakje hoop in de hand. Ze waren dienaars, krachteloze bevelen fluisterend; ze waren moeders en vaders, verlangend naar een kind; ze waren herders, zoekend naar een verloren schaap, blatend in de wind.

Zo doorkruisten ze het gebied rond het huis, stuurloos, elkaar vragend toeknikkend alsof iemand een vondst of aanknopingspunt voor zichzelf zou houden. De hitte tekende barsten in de maan, die in de blauwe hemel zichtbaar was geworden maar nu wolken leek aan te trekken, als een magneet, wolken die vanuit de polders kwamen binnendrijven.

Na een half uur, terwijl de anderen voor de vorm nog

wat rondzwierven om niet te snel te moeten opgeven, was Martha naar haar stoel teruggelopen en gaan zitten. Ook de Weduwe keerde terug naar de tuin en ging naast haar zitten. Ze stootte Martha zachtjes aan en wees op de mok die tussen hen in op de grond stond.

'Wil je ook wat thee?'

De zwaluwen waren verdwenen. Hoog in de lucht zag Martha een vogel zweven, een silhouet geprojecteerd tegen het nu grijze hemeldak. Hij cirkelde boven hen, het was een valk of een havik, op zoek naar een muis, en het kwam Martha voor dat hij zong. De klanken vielen naar beneden als sneeuw. Martha sloot de ogen en concentreerde zich op het geluid. Nee, het was geen lied, hij zong niet, hij lachte – dat was het. Een gemene schater. Hij lachte als de duivel. Hij lachte hen uit. Ze moest iets doen. Zij had hem hier binnengebracht, als een geschenk dat hen zou doen denken aan onschuldige tijden, gedachten die een glimlach op hun lippen hadden moeten toveren. Het was háár verantwoordelijkheid.

Martha staat op uit de bank zonder de uitgestoken benen van Simon en Nonkel César te raken en loopt in de richting van de keuken. Ze komt nauwelijks vooruit. Stopt. Staat stil. Ze plaatst haar vingertoppen tegen haar slapen. Er speelt een raar gevoel door haar hoofd. Ze kent het. Als ze een moeilijke kruiswoordpuzzel tracht op te lossen. Het gonzende geluid in haar oren, een zwaar gevoel aan de slapen, het idee dat haar brein zich samentrekt onder haar schedeldak en spartelt als een vis op het droge.

Misschien hebben die vrouwen wel gelijk. Die ruis. Want als het die ruis niet is. Wat daarstraks nog een onzinnige bedreiging vormde, lijkt nu haar enige mogelijke redding.

En die geur? Wat is die geur toch?

Voorzichtig voert Martha enkele rek- en strekbewegingen uit. Ze kijkt naar de sofa, ziet de afdruk die haar lichaam in de kussens heeft achtergelaten. Hoe lang is het geleden dat ze regelmatig op de bank in slaap viel? Toen haar kinderen pubers waren en vrijdagsavonds verdwenen in de nacht, naar God weet waar. Natuurlijk moesten ze op een bepaalde tijd thuis zijn. Maar dat verhinderde niet dat je ze los moest laten, dat ze met hun fiets door de duisternis reden, andere mensen zagen – welke mensen? waar dan? – bier dronken, drugs gebruikten.

Nee, dat laatste niet. Zo zijn haar kinderen niet.

Het waren lange uren. Ze hield het nooit vol. Tegen de tijd dat Martha wakker werd, zag ze hun jassen op de tafel liggen en wanneer ze naar de slaapkamer liep, struikelde ze haast over hun schoenen die over de vloer verspreid lagen. Maar vannacht is niemand uit geweest.

In de keuken staat de Weduwe aan het aanrecht. Ze heeft de pot koffie opgewarmd die ze gisteravond hadden gezet, om de alcohol te bedaren, in de hoop dat de gedachten er helder van zouden worden. Ze kijkt Martha vragend aan. Martha knikt. De Weduwe schenkt in. Alles is stil. Alleen het zachte, rinkelende gezang van glazen flessen die boven op de koelkast staan, dicht bij elkaar, alsof ze het koud hebben.

Ze drinken terwijl ze door het raam in het schemerdonker staren. Buiten, in de tuin, staat de piano. Nat en alleen, als een oude man.

Hilde heeft het aperitief voor beëindigd verklaard en staat op het terras, achter tafels vol schotels en kommen die door grote parasols aan het zicht van de zon worden onttrokken. Ze heeft een vliegenmepper in de hand.

Het is een koud buffet. Vanonder het zilverpapier komen in hesp gerolde asperges en met garnalen gevulde tomaten tevoorschijn, gegarneerd met takjes peterselie en partjes mandarijn. Meloen in seranoham. Aardappelsalade. Hardgekookte eieren geflankeerd door bakjes mayonaise en andere sauzen in diverse kleuren. Papieren borden. Plastic bestek. Naast de schalen staat een frituurpan te dampen als een stier. Frietjes voor de kinderen.

De gasten schuiven aan in stilte, als landlopers in een gaarkeuken, murw geslagen door de hitte en de drank en de frituurwalmen, die de lucht nog zwaarder maken dan hij vandaag al is. Boven de voedingswaren dansen wespen als kinderen die om aandacht vragen. Hilde beweegt de vliegenmepper in hun richting, durft niet te slaan, bang om de spijzen te raken.

'Tast toe, tast toe, er is nog.'

De Weduwe schept haar bord vol en loopt terug naar de tafels, waar de vader van Dirk staat. Een kleine, in elkaar gedeukte man die de hele tijd nerveus met de ogen knippert.

Hij ziet de Weduwe en waggelt haar tegemoet. Zijn wenkbrauwen bewegen nu snel op en neer, simultaan met zijn wijsvinger, die haar aanwijst.

'Ja, dat ongeluk vorige week, hè, ja hè.'

De Weduwe heeft van het ongeluk gehoord.

'Twee halve slagbomen. Dat ziet ge dikwijls, hè. Ja? Ja.'

De Weduwe zwijgt en knikt.

'Hiiieeerrrr 'n halve slagboom en hiiieeerrrr 'n halve slagboom.'

Ze kijkt naar zijn handen, oud en verweerd. Hij houdt ze allebei voor zich uit. De handpalmen naar zijn buik gericht, de ene zo'n twintig centimeter verder van zich af dan de andere, de vingertoppen op gelijke hoogte.

'Ziet ge het? En dan slalommen ze daartussen, hè, en whaaaam!'

Hij zwaait nu met beide armen wild van links naar rechts alsof hij een honkbalknuppel vastheeft.

'Maandag gebeurd, donderdag begraven. Dat doen ze dikwijls, hè, en met de fiets, hè, en als ze dan 'n auto hebben, dan doen ze het ook. En whaaaam!'

De Weduwe knikt opnieuw terwijl ze over zijn schouder zoekend naar de tafels kijkt. De andere gasten gaan een voor een zitten, hun borden gevuld, hun glazen wachtend op meer drank.

'Achttien jaar. Ze spreken er al niet meer over.'

De Weduwe blijft zwijgen en knikken. Ze bestudeert de pastasalade op haar bord, probeert te denken aan andere dingen. De vader van Dirk draait zich om en loopt terug naar zijn stoel, tenminste, dat heeft hij bijna gedaan maar dan houdt hij halt, keert op zijn schreden terug, en kijkt vlak langs haar heen, naar het buffet.

'Om nog niks te zeggen van de kosten, hè. Ha ja. Auto *per-te totale*, de locomotief...'

Hij vervormt zijn gezicht als om de geblutste voorkant van het treinstel te verbeelden.

'Ge weet niet meer of het een mens was of een hond. Straf, hè.'

Hij zucht. Alle kracht lijkt uit zijn lichaam weg te vloeien. Hij buigt het hoofd, zachtjes knikkend, richt zijn blik op de grond.

'Twee halve slagbomen. Tja. Zo kan het dus ook.'

Dirk roept zijn vader.

'Pa, komt ge zitten? Allez, kom hier. 't Is feest.'

'Ja, ja,' zegt hij. 'Ja, ja.'

Samen lopen ze naar de tafels. Simon gaat rond met de wijn. De Weduwe zet haar bord neer, zoekt haar theemok, schuift het wijnglas weg dat voor haar bestemd is en schudt het hoofd.

'Allez, Tante, ge hoort het, 't is feest, hè.'

Maar de Weduwe zegt nee, al de hele middag, op alles. Niemand heeft haar verse thee zien bijschenken. Er staat helemaal geen thee op tafel.

'Laat toch, Simon,' zegt Isabelle.

'Allez, één slokske, ze kan toch moeilijk thee blijven drinken. Met deze temperaturen.'

'Smakelijk eten, Tante,' zegt Isabelle.

De Weduwe neemt een vork en prikt in de pasta. Ze kauwt. Er zit weer wat vlees op haar botten. Vlees dat geruisloos was weggeteerd, in de maanden na de dood van Dirks broer, haar echtgenoot. Ze heeft er moeite mee om elke kilo die ze wint niet als verraad te zien. In de eerste weken na de begrafenis dacht ze vaak aan hoe hij daar moest liggen en hoe hij eruit moest zien, welke fase van ontbinding zijn lichaam had bereikt, of het nog een lichaam was

– daar hadden ze haar nooit iets over willen zeggen – welke insecten nestelden in de neus die zij had gekust, de oren die naar haar hadden geluisterd. Ze dacht aan de armen waarin ze wegdroomde, sterk, warm en zacht, maar nu wellicht niets meer dan gebroken, koude knoken.

's Nachts in bed, wanneer ze de ogen sloot, zag ze de dwarsdoorsnee van zijn graf. Ze kon hem niet herkennen. Ze zag een witte gloed, als een pop, in was verpakt. Ze hoopte op zuurstofarme grond, dik en vet als leem. Ze had gelezen dat het de ontbinding vertraagt. En wanneer ze hem bezocht, keek ze dwars door de zerk heen, zag hem liggen op de crèmekleurige kussens in zijn kist, alsof hij sliep en zonder dat ze er iets aan kon doen vervormde het beeld, viel het vlees van hem af, zijn beenderen grijs en bloot, gefragmenteerd, zijn ogen hol en donker. En zoals ze dat zag gebeuren, zo verging ze zelf ook; ze wilde vergaan. Samen met hem verdwijnen.

Haar haren werden lang en kleurloos, haar wangen werden kraters, haar armen dunne stokken. De eerste keer dat de anderen haar weer zagen, op ditzelfde feest, vijf jaar geleden, hadden ze haar niet herkend. Ze kwam het terras op gelopen, langzaam, als een vermoeide geest, een wezenloze schaduw van wat ooit een mens was geweest. Ze glimlachte flauw en niemand zei iets. Pas toen haar zoon van achter de hoek tevoorschijn kwam, werd de betovering verbroken en schoten mensen toe om haar te helpen, ook al had ze niks gevraagd maar zo ging het altijd, ze vroeg nooit iets, en toch kwamen ze helpen, iedereen wilde altijd maar helpen.

Nu, sinds een jaar, misschien iets meer, heeft ze weer honger. Soms voelt ze zich schuldig, begrijpt niet hoe haar lichaam sterker kan zijn dan haar geest, hoe het heeft afgedwongen dat ze leeft, alsof zij er zelf niks over te zeggen heeft. Hun zoon, die ouder wordt, wil niet meer mee naar het feest. Straks heeft hij haar niet meer nodig. Daarvoor is ze bang en daarom dwarsboomt ze al zijn plannen, maakt hem wakker zodra hij droomt, wijst naar de grond zodra hij omhoog durft te kijken of ergens in gelooft. Met de liefde komt ook de angst, en met het verlies komt het verlangen om je vast te klampen. Dat weet iedere vrouw, iedere moeder, maar dat is niet aan het kind besteed, dat wil vliegen, lopen, roepen. Ssst, zegt de moeder, wees stil, dan vindt het ons niet. Maar, zegt het kind, ik maak slechts plezier. Plezier dat in haar ogen roekeloos is.

Het gaat beter. Er ligt blijdschap op de loer. Ze wil het nog niet toegeven. Het is nog te vroeg. Ze komt alleen naar het feest omdat hij hier ook graag was geweest. Ze houdt haar handen om de theemok geklemd. Dat is het eerste wat ze doet wanneer ze ergens op bezoek gaat: ze vraagt waar de keuken is en schenkt zichzelf de 'thee' in die ze altijd bij zich heeft, in een flacon, die nog van hem is geweest, gewikkeld in zijn sjaal, verstopt in haar handtas. De rest van de tijd klampt ze zich vast aan die mok, zoals ze zich vastklampt aan de pijn.

Simon zegt: 'Allez, komaan, dat smeert de keel.'

Niemand heeft ooit haar verdriet betwist, maar er komt een moment dat de mensen het niet meer verwachten, niet meer willen dat je het met hen deelt. Ze is volhardend. Ze eet weer. Meer kan er van haar niet worden verwacht. Ze geeft iedereen het gevoel dat ze op hun woorden moeten letten. Er is geen betere manier om mensen domme dingen te laten zeggen. Altijd is er iemand, nu Isabelle, die zichzelf tot pro-Deoadvocaat benoemt en in haar plaats een kansloze strijd aangaat, goedbedoeld alsof ze er niet bij zit, of niet toerekeningsvatbaar is. Alsof het zomaar besproken kan worden. Wat denken ze eigenlijk wel?

'Dat geeft toch niks. Als zij dat nu niet wil.'

'Ja, goed, maar het is feest, hè.'

'Simon. Daarvoor moet ge toch niet zat worden, dat kan toch ook zo.'

'Ik zeg ook niet dat ze zat moet worden, ik zeg dat ze een glas moet drinken, het is verdomme feest, dat is toch geen probleem.'

'Maar het is toch ook geen probleem als zij dat nu niet wil, wat is dat nu toch?'

'Ja, nee, als zij dat niet wil, dan wil ze dat niet, nee. Maar hoeveel jaar is het nu al geleden. Ik zeg het alleen maar.'

'Wat weet gij daar nu van? Wat wilt ge daar nu mee zeggen?'

'Niks, niet per se, maar het leven gaat verder, voor iedereen. Het is maar 'n glas wijn.'

En dan is er altijd iemand die zich haar aanwezigheid herinnert, op sissende toon de voornamen uitspreekt van de deelnemers aan het debat en daarbij met grote ogen van de een naar de ander schiet, met dwingend knikken van het hoofd erop wijzend dat 'ze' echt nog daar zit, alsof ze doof en blind is. En hun spiedende ogen, zich verontschuldigend bij wie er niks mee te maken heeft, zoals Ome Lex, om hem en elkaar duidelijk te maken dat ze weten dat hij er ook is en ook alles hoort en wat moet hij niet denken. Alsof ze zich schamen voor haar verdriet. Als ze ervan zouden leren. Maar nee. Meteen daarna smeden ze alweer plannen om samen uit eten te gaan, de volwassenen onder elkaar, zonder de kinderen, zoals vroeger. Ze weten dat ze het niet wil. Ze wil niet uit eten, ze houdt niet van restaurants, ze is bang van de lege stoel tegenover haar, van iedereen die haar iets vraagt: aandacht, antwoord, wat ze als voorgerecht wil. Moet ze weer nee zeggen.

Ze gaat niet in discussie. Ze zegt het één keer, zacht, en

dan kijkt ze weg, terwijl de anderen luidruchtig verder pala-veren en data overleggen alsof ze haar niet gehoord hadden.

Martha buigt zich naar Ome Lex toe.

'Zeven procent, is dat veel?'

Ome Lex zegt dat statistieken weinig zeggen. Zeven pro-cent, op zulke kleine aantallen, dat is statistisch gezien een te verwaarlozen stijging. Dat noemen ze statistische ruis, als hij zich niet vergist.

'En hoe weet u dat, als ik vragen mag?' vraagt Nonkel Cé-sar, die net als de kinderen ook een bordje friet heeft geno-men.

Dat heeft Ome Lex ergens gelezen. Zo werkt statistiek. Het is een simpel feit.

'Ja, ja,' zegt Nonkel César. 'Met feiten kunt ge alles bewij-zen.'

Hij leunt achteruit in zijn stoel en zet één arm met de punt van de elleboog recht op zijn andere arm, die horizon-taal op zijn buik ligt, en brengt de vingers van zijn rechter-hand een voor een naar zijn mond om het vet en de ma-yonaise eraf te likken. Hij vernauwt zijn ogen, maakt een vuist en uit de vuist komt een glimmende wijsvinger te-voorschijn, die zich uitvouwt en in de lucht priemt. Hij kijkt naar Dirk.

'Hier zit iets anders achter. Neem dat maar van mij aan. Ik zeg het alleen maar.'

Hilde komt achter Dirk staan. Ze heeft nog steeds de vliegenmepper in haar hand. De andere legt ze op zijn schouder.

'Wij nemen in ieder geval geen risico,' zegt Dirk.

'Iedereen weet het,' zegt Nonkel César. 'Iedereen. En ze spelen het spel allemaal mee. Er is niks op televisie, de po-litie doet alles liever dan de échte criminelen pakken en pas maar op met de regering. Straks spreekt er niemand nog over die meisjes, en die onnozele ruis, maar ondertussen hebben ze wel de belastingen verhoogd terwijl wij niet aan het opletten waren. Ik zeg het alleen maar.'

De Militair kijkt hem strak aan, maar hij zegt niets.

Simon, die opnieuw in zijn stoel hangt, en af en toe een blaadje sla in zijn mond propt, zegt: 'Stabel. Da's de commissaris. Woont bij ons op de hoek. Zolang zijn kinderen met de fiets de straat op mogen, maak ik mij geen zorgen. Die zal het toch wel weten?'

'Wat zeg ik nu,' antwoordt Nonkel César. 'De politie zit ermee in. En maar ontkennen en maar zogenaamd iedereen geruststellen. Lui. Ze zijn gewoon lui. Dat is het. Ik zeg het alleen maar.'

'Maar allez gij.' Simon drinkt zijn glas in één teug leeg. 'Het is komkommertijd. Dat is alles.'

'Komkommertijd? Kinderen die verdwijnen? Dat noemt gij komkommertijd?' Hildes stem slaat over. Ze schrikt er zelf van.

'Ik bedoel dat gedoe met die ruis, zus, die ruis. Ik heb ook een kind.'

'Die ruis zal daar toch niet toevallig zijn, hè. Zoiets verzint ge toch niet?'

Simon steekt zijn telefoon in de lucht. 'Dus gij gelooft die wijven? Echt? En dit dan? Daar al 'ns over nagedacht? Al die zendmasten? En hoogspanningskabels. Gasleidingen. Draadloos internet. DECT-telefoons. Weet ge wat dat is, 'n DECT-telefoon? Dat is hetzelfde als 'n gsm-mast in de living zetten. Ge kunt even goed met een spuit de kanker rechtstreeks in uwe kop injecteren. Gij wilt niet weten wat wij allemaal aan straling te verduren krijgen. En dan schrikken ze ervan dat er mensen zijn die een beetje raar gaan doen.' Hij bestudeert zijn telefoon. 'Allez. Van mobiel internet hebt ge hier precies gene last. Da's al iets.'

Hilde legt haar hand op haar hals.

'Ik zeg toch niet dat ik dat geloof. Wij nemen gewoon geen risico.'

'Luister,' zegt de Militair. 'Bij calamiteiten als deze moet de overheid omzichtig zijn in haar communicatie. Zolang de situatie niet wordt opgeschaald...'

Ome Lex legt zijn vork en mes op tafel neer. De anderen zwijgen op slag, opgeschrikt door het geluid van het metaal dat de tafel raakt. Ome Lex begint te praten. Hij vertelt wat hij onderweg hiernaartoe op de radio heeft gehoord. Daarna wijst hij omhoog, naar de lege lucht en zegt: 'Wisten jullie dat een roofvogel als een valk andere vogels bij voorkeur aanvalt wanneer ze vliegen? Maar toch zullen de meeste vogels op de grond, wanneer ze de valk in hun buurt bemerken, ópvliegen en op de vlucht te slaan – daarmee de kans vergrótend dat de valk hen zal doden.'

Hij steekt zijn handen boven zich uit, de palmen naar beneden gericht, zijn vingers gespreid als klauwen. Dan brengt hij ze weer samen voor zijn borst, zet zijn vingertoppen tegen elkaar alsof hij letterlijk probeert om het gegeven tastbaar te maken.

Zijn woorden verdampen in de hete lucht. Of worden ze opgeslokt door kwade geesten die boven hun hoofden zweven?

'Ja maar, Ome Lex,' zegt Hilde. 'Ge hoort er toch veel over, hè. Misschien is het niks, maar ja: wat als ge ongelijk hebt, hè, dat risico kunt ge als ouder niet nemen.'

'Het huis is nu in elk geval goed beveiligd,' zegt Dirk. 'Dat kan sowieso geen kwaad.'

Iedereen knikt, als een betonnen muur.

'Hé Dirkske, hebt gij nog van die Franse wijn?' Simon schenkt zichzelf bij. 'Want ik ben nog niet helemaal goed opgeschaald, zenne.'

Martha zwijgt. Ze zwijgt de hele tijd.

'Het moet vreselijk zijn voor de vrouwen die hem horen, die ruis.' De Weduwe. Ze heeft het gesprek gevolgd, aan de overkant van de tafel, en houdt haar blik nog steeds gericht op de theemok waarmee haar handen zijn vergroeid. 'Ik zou me zo schuldig voelen. En machteloos.'

Even is iedereen in gedachten verzonken.

Hilde kijkt neer op Dirk en drukt de toppen van haar vingers tegen zijn sleutelbeen. 'Zolang het niet is opgelost gaat ons Billie nergens alleen naartoe,' zegt ze. Dan kijkt ze weer op en tikt met de vliegenmepper op het hoofd van Dirk. 'En nu hebben we het over iets anders. Het is feest.'

Ome Lex schuift voorzichtig achteruit op zijn stoel. Zijn broek plakt aan zijn billen.

De Militair en zijn vrouw buigen zich over hun borden met gevouwen handen. Hun twee zonen zitten tussen hen in. Stevige knapen, in scoutsuniform. Op bevel van hun vader zijn ze uit de achtertuin gekomen, zonder protest, hun wangen vuil en rood van het spel en de opwinding. Zachtjes prevelen ze de zinnen mee die hun moeder uitspreekt.

Nonkel César wijst op een wolk witte, stervormige pluisjes die de tuin in vliegen.

'Ziet ge dat? Ziet ge al dat pluis? Daar moet ge mee oppassen, man, dat is brandbaar spul.'

Ze drijven laag over het gras, als vederlichte sneeuw, die niet wil vallen.

'Kijk, sneeuw in de zomer!' Isabelle lacht en rolt met het kind in haar armen door het gras. Martha kijkt omhoog. En vanuit de achtertuin, gedragen door het pluis, verschijnt Billie, als een fee. Kauwend speelt ze een spel op een kleine game console. Haar rechterhand glijdt over de toetsen. Haar linker draait zich vast in de franjes van haar sjaal. Op het scherm beweegt iets wat het best te omschrijven valt als een kruising tussen een hamster en een walvis. Het dier vliegt door de lucht, gedragen door een tros ballonnen. Hij kijkt haar aan en kwispelt met zijn bliksemstaart. Dan landt hij op een witte wolk en laat zich zachtjes meedrijven. Billie glimlacht, zingt op fluistertoon: 'Dag Mahatsuko, dag lieve Mahatsuko. Blijf jij maar lekker bij mij. Wij laten ons niet vangen. Wij hebben niemand nodig. Wij vliegen op de wolken naar een plek die alleen wij kunnen dromen.' Het is een lied dat niemand kan horen.

Hilde loopt naar haar toe. Ze geeft haar een zoen op haar achterhoofd. Billie zwijgt en speelt door. Zonder op te kijken loopt ze naar het groepje dat bij de vijver zit.

'Het is geen kind meer,' zegt Nonkel César.

'Ja, ons Billie.' Dirk zucht. Hij buigt zich voorover, naar Nonkel César en fluistert: 'Ik heb ze misschien niet zelf gemaakt, maar ze is toch goed gelukt.'

'Binnen een paar jaar is 't een vrouw. Hou mij in het oog, hè, want ge weet: ik zie dat wel graag, een Aziaatje,' zegt Nonkel César.

Een knipoog, een grijns.

'Soms heeft ze kleren aan dat ge denkt: is dat wel legaal? Maar ik zag het al aan haar billetjes toen ik haar luiers verschoonde: die gaat de venten zot maken.'

Dirk zucht. Nonkel César giechelt. Een hinnikend paard.

'Soms loop ik per ongeluk efkens de badkamer binnen, hè.'

'Hohoho, jongen, serieus.' Nonkel César houdt het niet meer.

Dirk deelt een stomp uit met zijn elleboog.

Martha schuift op haar stoel.

Ome Lex staat op, met zijn bord in de hand.

Bij de vijver is het iets koeler. Thomas zit in de schaduw van de krulwilg, samen met de Thaise Bruid van Nonkel César, Billie, en nog wat mensen. Ze zitten in een kleine cirkel, en terwijl ze eten, praten ze zacht met elkaar, of staren in het water en strelen het gras.

Behoedzaam laat Ome Lex zich op zijn knieën zakken, zet zijn bord neer en verplaatst zijn gewicht naar zijn rechterdij.

'Thomas zegt dat u goed piano kunt spelen,' zegt Billie en ze knikt, alsof ze in zijn plaats vast antwoord geeft. 'Doet u ook mee straks?'

'Iedereen doet een nummertje,' zegt Thomas. 'Dat is traditie, Ome Lex.'

'Ik ga een liedje zingen,' zegt Billie. 'Maar u mag ook iets anders doen.'

Ome Lex vraagt welk liedje ze gaat zingen. Er valt een druppel op zijn rechterhand. Hij kijkt omhoog.

'Mja,' zegt Billie. Ze haalt haar schouders op. 'Dat kent u niet.'

Ome Lex houdt de blik omhooggericht. Hij zegt dat ze jij moet zeggen.

'Billie schrijft haar eigen liedjes, Ome Lex,' zegt Thomas. 'Zij is de toekomstige popster van de familie.'

'Neehee, zeg 'ns, onnozelaar.' Ze duwt Thomas tegen de schouder en die doet alsof hij bijna omvalt.

Ome Lex kijkt Billie vragend aan.

'Iedereen vindt het stom.' Ze zegt het zacht, maar niet verlegen.

Thomas grinnikt.

Ome Lex zegt dat hij het helemaal niet stom vindt. Maar knap. Billie bijt op haar lip. Er cirkelt een wesp boven haar hoofd. Een zacht zoemend, zingend geluid. Ome Lex gaat nu op zijn beide billen zitten en zet het bord tussen zijn knieën. Opnieuw voelt hij een waterdruppel.

'Ja, maar dan denken ze dat ik beroemd wil zijn of zo.'

Ome Lex vraagt of ze dat wil terwijl hij met een hand in zijn nek voelt en daarna zijn vingers bekijkt.

'Mja. Nee. Maar zo met andere meisjes samen zingen.'

'Billie wil een meidenband beginnen, allez Ome Lex, ge kent dat wel, zoals K3.' Thomas heeft zin in een aardigheidje. Hij lijkt het goed met Billie te kunnen vinden, ondanks het leeftijdsverschil.

'Nee, zot.' Billie rolt met haar ogen.

Ome Lex kijkt alsof hij ook een grapje wil maken maar er zo snel geen kan verzinnen.

'Het is meer. Dat we dan. Gewoon. Soms ga ik met mijn vriendinnen naar de stad, hè, en dan lopen we door de winkelstraten en dan beginnen we heel hard te zingen. De gezichten van de mensen dan. Echt keiplezant.' Ze begint te giechelen, enthousiast nu.

Ome Lex vraagt of ze soms een koor bedoelt.

'Ja,' zegt ze. 'Zoiets. Een koor. Een rondzwervend koor waar iedereen blij van wordt en dat iedereen dan gaat meezingen. Wat vindt u, ehm, je ervan?'

Ome Lex zegt dat hij het mooi vindt. Wellicht kunnen ze straks aan de anderen vragen om mee te zingen.

'Zot. Die zingen niet.' Ze slaat haar hand voor haar mond. Ome Lex glimlacht. Nu dringt een druppel langzaam door zijn haren tot hij zijn schedel raakt.

'Ik wil wel meezingen,' zegt Thomas.

'Ja, zo vals als een kat,' zegt Billie en ze lacht nu terug naar Ome Lex, zoals alleen jonge meisjes dat kunnen; een lach als een spelend kind.

Ome Lex zegt dat je nooit mag denken dat je alles al hebt gezien. Hij kijkt omhoog, naar de wilg, en zegt dat de boom lekt.

Een lieve man, denkt Billie. Een beetje raar, maar wel lief. Net als Mahatsuko.

Ook Thomas kijkt omhoog en speurt het bladerdek af, op zoek naar de bron.

'Kijk, daar, Ome Lex. Die witte slierten? Daar drupt het uit. Insecten. Of zo. Maar goed. Heb je nu stift en papier bij, of niet?'

En hij begint de anderen te vertellen hoe Ome Lex ooit in hun gezin is aanbeland. Isabelle heeft ondertussen ook de tafels verlaten en drentelt hun kant op, samen met het kind.

Thomas stopt onmiddellijk zijn verhaal wanneer hij Isabelle ziet.

'Wat is er?'

'Och,' zegt Isabelle, 'Simon is weer op dreef.'

Ze kijken naar de tafels. Onverstaanbare flarden van het gesprek drijven hun kant op. Simon gebaart druk, Dirk lijkt tegen hem in te gaan, de rest van het gezelschap kijkt gelaten toe.

'Waarover?'

'Hij vindt dat Dirk en Hilde overdrijven.'

Billie begint heftig te knikken maar ze zegt niks. Ze heeft er vaak genoeg iets van gezegd. Ze kent de antwoorden, en het geluid van de sleutel die draait in het slot van haar kamerdeur. De stemmen, beneden, die opstijgen, door de vloer heen, de kamer vullen tot er nauwelijks nog zuurstof overblijft om te ademen.

Er iets van zeggen is allang geen optie meer.

Ze kijken allemaal naar de tafels. Iedereen zwijgt. Het kind kruipt op handen en voeten over de grond, richt zich op, twee handen in de lucht, en zegt: 'En nu ben ik een leeuw.' Het grolt en gromt en stort zich op een bal. Billie staat op en loopt weer terug naar de achtertuin, ook de zonen van de Militair zijn klaar met eten en lopen die kant op. Samen verdwijnen ze in het onzichtbare gejoel.

'En u, hoe hebt u Nonkel César leren kennen?' vraagt Isabelle terwijl zij zich neervleit in het gras. Ze richt zich tot de Thaise Bruid van Nonkel César, die al die tijd heeft gezwegen.

'O,' zegt de Thaise Bruid. 'Ik was alles wat César had opgegeven.'

Iedereen kijkt naar elkaar. De Thaise Bruid vertelt dat ze al enige tijd hier verblijft. Isabelle vraagt of ze Thailand mist. Dat doet ze. Ze vraagt of ze terug wil.

'Zeker,' zegt ze. 'Ooit. Jullie cultuur, sorry hoor.' Ze glimlacht. Het is een glimlach uit medeleven.

En zo spreken ze een tijdje, terwijl Isabelle de haren streelt van het kind, dat haar hoofd in haar schoot heeft gelegd, haar ogen gesloten. Isabelle kruist haar gladde, gebruinde benen, en herschikt haar jurk tot die over haar knieën valt. Elke beweging wordt weerspiegeld in de glazen van Thomas' bril. Zijn blik maakt haar mooier.

Ome Lex schuift achteruit op zijn billen, buiten het bereik van de wilg. Hij plant zijn beide handen achter zich in het gras, kantelt zijn hoofd zo tot het zonlicht erop valt – en sluit de ogen.

Zoom uit. Ga erboven hangen. Overzie de tuin, de rondrazende vrolijkheid in duizend kleuren, en hier en daar, goed verborgen, de zwervende zwarte vlekken. Je kunt luisteren naar de gesprekken die de mensen voeren. Je kunt proberen in hun hoofden te kijken en te zien wat ze denken. Je kunt ze vragen stellen, en de antwoorden wantrouwen.

Maar wat vertelt meer dan de route die ze lopen, de lijnen die ze trekken over het gras en het terras, als met potlood – en die elkaar kruisen of ontwijken? Van de ene kring naar de andere, naar het buffet, de achtertuin, de weilanden of het toilet. Wie vertelt meer dan de stoel waarop ze niet gaan zitten of het getik van een vork die prikt in een leeg bord?

De tafel spuwt stemmen en gelach. Een camera klikt, bestek tikt en klettert, wijn loopt in glazen, voetstappen op het terras. Kinderen gillen, rennen, overstemmen het geluid van een trein rommelend in de verte. Mensen staan op, gaan weer zitten, kruisen elkaar, schudden ongemerkt hun huid af als een slang, sluipen verder door de schemering van hun eigenbelang, dwarrelen om de ander heen, trekken elkaar aan, stoten elkaar weer af, naar waar het voortschrijdend inzicht hen brengt, en dwarrelen dan weer verder, als in een dansvoorstelling zonder choreograaf. En dan het stilzwijgende wijzen naar de anderen en hoe niemand zegt: kijk, hoe hij plots doet. Dat is het gefluister. Zoom uit. Zoom in. Tot zichtbaar wordt wat niemand hoort. Het geluid dat tussen de andere geluiden zwemt, als de glinstering van twee ogen in de rimpels van het wateroppervlak.

VOORSPELBAAR, ALS HET KWAAD

1

Vanochtend, voor ik naar het feest vertrok, bakte ik een ei-
tje voor het ontbijt. Heel eenvoudig, in een kleine pan, met
wat olijfolie. Daarna een mengsel van knoflook, zout en
peterselie eroverheen. Uit een potje, hoor. Dat had ik nooit
eerder gedaan. Heerlijk. Een afgebakken croissant erbij.
Koffie. Niks meer aan doen. De vreugdevolle geboorte van
een nieuw ritueel. Zo eenvoudig kan het zijn. Ik heb het
door de jaren heen geleerd.

Daarna zette ik mij nog even aan de piano, gewoon wat
simpele riedels. Het geeft me rust. Ik besloot een pak aan te
doen. Nu ja. Een echte beslissing kun je dat nauwelijks noemen. Ik doe altijd een pak aan voor gelegenheden als deze.
Kortom. Een mooie ochtend. Die nu compleet zinloos is geworden.

Onderweg naar het feest, reed ik – nadat ik de snelweg
had verlaten – een hele tijd op een landelijke weg die door
weiden en velden slingerde als een touw dat door een
dronkenlap was neergelegd. Op de radio ging het wederom over het verschijnsel. Uiteraard. Het was al de hele
week niet te vermijden geweest, als lucht. Er hadden zich
meer vrouwen gemeld die beweerden iets te horen en de
media hadden de ruis in de armen gesloten als een oude,

welkome vriend die onverwachts opdook met een krat gekoeld bier. Van de verdwenen meisjes ontbrak elk spoor. Er waren geen dreigtelefoons, geen met uitgeknipte krantenletters in elkaar geplakte brieven die losgeld eisten. Geen fiets in een berm, als stortvuil achtergelaten. Geen korrelige beelden van beveiligingscamera's. Helemaal niets. Ze waren opgelost. Dat gaat al snel vervelen.

Ik legde mijn beide armen boven op het stuur en reed zo langzaam door de velden. Ik tuurde naar boven, naar de lucht, zag het silhouet van een vogel die daar dreef, roerloos, wachtend. Ach, als de mensen zichzelf en de anderen zouden kunnen zien zoals een valk, hoog boven de situatie cirkelend en te gepasten tijde naar beneden duikend. Dán. Als de mensen zichzelf en de anderen zouden kunnen bespieden vanuit elke gewenste hoek en zo in staat zouden zijn een compleet feitelijk beeld samen te stellen van wat er wérkelijk gaande was.

Het is nochtans niet moeilijk. Je hoeft slechts je ogen te sluiten.

Door de stem van de presentator heen weerklonk een zacht geratel dat vanuit het dashboard leek te komen. Soms hoor ik het maanden niet. En dan ineens is het er weer. Ik rij een Saab. Bij de garage hadden ze gezegd dat het een bekend probleem is bij de oudere modellen.

De stem op de radio had het over *de zomer van de Stille Ruis*. Zo noemden ze het al. Na een week. Slim. Ze waren erachter gekomen dat de eerste meldingen van mei dateerden – alleen een enkele lokale correspondent had er aandacht aan besteed. Maar dankzij de televisie-uitzending was hij plots alomtegenwoordig: de ruis, er was iets met de ruis. Iedereen maakte zijn eigen verhaal. En zo ging hij rondzwermen, ongrijpbaar, een mediagenieke vorm van leven net buiten het bereik van het menselijk begrip. Een geluidloze zucht die door de straten zwierf, langs de gevels van de huizen sloop, gezichten streelde, handen bestuurde, stemmen deed trillen. En op de golven van zijn onhoorbare klanken dreef de angst de oorschelpen van de mensen binnen, liet zich meevoeren met de lucht die zij uitademden, de kamer in, kroop in de voorwerpen die hen omringden. Nét op het moment dat een zinderende, gebeurtenisloze hitte het land in slaap dreigde te wiegen.

Het was een populairwetenschappelijk programma, met een kwajongensachtige toon. Uiteraard hadden zij ook een van die vrouwen uitgenodigd voor een vraaggesprek.

De vrouw zei: 'Mijn hoofd is een televisie.'

Ze beschreef het geluid dat ze hoorde. Het kon minuten, soms uren aan een stuk aanhouden. Het liet zich moeilijk omschrijven evenwel. *Tiens, tiens.* Ze sprak over een gezoem, alsof iemand melodieloos aan het neuriën was, maar het waren geen menselijke of dierlijke stembanden, het was op de een of andere manier *elektronischer.* Het geluid dat het scherm van een oud televisietoestel voortbrengt. Je hoort het alleen wanneer je het volume van het toestel dichtdraait. Dat was dus die zogenaamde *flicker noise.* Een zachte zinderende toon die door de kamer zweefde, je kon er de vinger niet op leggen. Ja ja. Ik herinnerde mij uiteraard dit geluid. Die avond, toen Martha belde. Ook mij had het enige tijd gekost om de oorsprong ervan te doorgronden. Zeker drie volle minuten.

De presentator vertelde opgewekt dat andere dames het hadden gehad over de koeling van een reusachtige computer die diep onder de grond verscholen zat. Een eindeloze zucht die niet te voelen was maar geluidloos opsteeg en alles om je heen inpakte, alsof je in een grote bubbel van ruis leefde. Helaas was tot nog toe niemand erin geslaagd een deugdelijke geluidsopname te maken. Ze hadden het geprobeerd. Waarom eigenlijk? Het was toch al nieuws.

Het geratel in de Saab hield lang aan. Een vervelend geluid. Af en toe gaf ik een tik op het dashboard. Dan verdween het, om even later weer langzaam aan te zwellen. Gluiperig.

Vóór mij, in de verte, glom het asfalt als water dat miraculeus verdampte wanneer ik het dichter naderde. Af en toe reed ik door een kleine dorpskern. Eenvoudige gemeentes. Ik heb er zelf lang gewoond. De gezichten van de mensen, als gordijnen die angstvallig worden dichtgeschoven zodra onaangekondigd bezoek zich meldt; hun ogen de vergrendelde deuren waarachter ze schuilen. Goede mensen, hoor. Goede mensen, bovenal.

De presentator zei dat het tijd was voor een streepje muziek. Ik zette de radio luider. Er weerklonk een rauwe, nasale stem. De melodie was vrij eentonig en ook het gitaarspel kon mij niet bovenmatig bekoren. Maar die stem. De stem was allesbehalve banaal. Gedreven werden woorden en zinnen gedeclameerd die zich ver van de gebruikelijke clichématige wijsheden over de liefde hielden. Ik herinner me één zin in het bijzonder:

I know the future looks dark
But it's there that the kids of today must carry the light

Of zoiets. Nadat ik de laatste dorpskern achter mij had gelaten, reed ik op een lange weg langs een uitgestrekt poldergebied. Vanuit de weiden kwamen er af en toe opgehoogde zandwegen op uit. Hier en daar zag ik een rare, kunstmatige heuvel in de verte. Typisch voor deze streek, naar verluidt. Zonderling.

Het nummer liep ten einde en daarna kwam er een expert aan het woord die uitlegde wat dat precies was, *flicker noise*. Hij zei dat *flikkerende ruis* een soort elektronische ruis is met een roze spectrum. Wat dat ook moge betekenen. Maar klaarblijkelijk wordt het soms aangeduid met de term 'roze ruis'. Eigenlijk komt het voor in bijna alle elektronische apparaten. Het is gewoon een verontreiniging op een geleidend kanaal, te wijten aan een slechte aarding, of zo. Eigenlijk weet niemand precies waar het vandaan komt.

Ja. Met zulke verhelderende betogen wordt onze zendtijd tegenwoordig gevuld.

Maar de vrouw in de uitzending beweerde de ruis overal te horen, ook wanneer er in geen velden of wegen elektrische apparaten te bespeuren vielen. Dáárom noemde ze het de Stille Ruis – mét hoofdletters – omdat de meeste mensen hem niet hoorden. Roze ruis zou suggereren dat het om een lief dingetje ging, terwijl het een zaak van leven of dood was, of tenminste: dat werd door de pers in alle toonaarden ontkend, wat voor veel mensen blijkbaar een reden was het toch te geloven. En die meisjes, die verdwenen, hielpen natuurlijk niet mee. Ik weet dat het hardvochtig klinkt. Maar ach. Er is niemand die mij hoort.

Het waren gewone meisjes uit gelukkige gezinnen. De eerste liep met haar moeder door de supermarkt. Ze mocht strips lezen bij het tijdschriftenrek. Nummers twee en drie maakten samen huiswerk; de moeder kwam kijken, met sap en koekjes op een dienblad. Een tennisleraar wachtte tevergeefs. Een schoolreis diende voortijdig te worden afgebroken. Een straatfeest eindigde in tranen.

Op de radio beschreef de vrouw wat ze zag wanneer ze de ruis hoorde en haar ogen sloot: witte mist waarin donkere schimmen dreven.

Tja.

Hoe dichter ik mijn bestemming naderde, hoe verder de huizen langs de weg uit elkaar kwamen te staan. Veel mensen hebben ze door de jaren heen in deze streek laten bouwen. Brede, diepe, woningen die zich over de beschikbare percelen verspreiden als bakstenen inktvlekken. Ik ken ze goed. Lage, vrijstaande huizen met brede gangen, grote ramen en als kloppend hart een open haard die des winters vlijtig vlammen imiteert. Grote, goed onderhouden tuinen, grenzend aan een weiland. De keuken een tentoonstelling van kindertekeningen die met kleurrijke kleefmagneten zijn bevestigd op de koelkast en de titanium afzuigkap. In de woonkamer veel stemmig hout en lederen zetels. Gedroogde bloemen aan de muur. Alles rechtstreeks uit het pakket oplosgezelligheid waarmee zulke huizen geleverd worden. Veilige huizen, zo zeggen de mensen.

Op een bepaald moment moest ik wachten voor een gesloten overweg. Meteen na het spoor rechtsaf. Dat had Martha gezegd. Even verderop stond een klein stationsgebouw waaraan een oud en vervallen kerkhof grensde. Merkwaardig. Ik beeldde me in hoe de reizigers van een stoptrein die daar halthoudt, een paar minuten uitkijken op die verzameling stenen stompjes, vele anoniem, zonder naam of datum of spreuk. Als gedoofde sigaretten in het zand geduwd, schots en scheef en schijnbaar zonder orde of reden – als het leven zelf, en dus ook als de dood.

2

Ik arriveerde ter bestemming aan het begin van de middag. Het laatste stuk liep parallel met de spoorlijn, waarvan alleen de bovenleidingen zichtbaar waren, gecamoufleerd als ze was met struiken en dichtbebladerde bomen. Ik parkeerde de auto langs de kant van de weg; de oprijlaan stond vol. Ik bleef nog even zitten. Ik wilde het programma afluisteren. Het hele gedoe beviel me niet.

Ik deed de zonneklep naar beneden en keek in de kleine spiegel. Mijn haren leken dunner, en grijzer dan ooit. Ik had lang gereden.

Op de radio werd er gebeld met een zangeres op haar retour. Daar had je het al. Ze had ervan gehoord en natuurlijk was ze het ook gaan horen. Tot tranen toe bewogen vertelde ze wat haar was overkomen en wat haar buurmeisje was overkomen, dat je dit soort fenomenen niet mocht onderschatten; er was meer tussen hemel en aarde dan de mensen wilden geloven. In de studio haakte de vrouw gretig in; als zij het ook al zei, dan kon het geen toeval meer zijn. De presentator probeerde het luchtig te houden. Tevergeefs.

Het deed me denken aan een bericht in de krant, een paar dagen eerder. Een vrouw die beweerde de ruis te horen, vertelde dat ze op slechts drie straten afstand woonde van het huis van een meisje dat een dag eerder niet was teruggekeerd van het speelplein. Drie straten slechts, hier was een verband. Het was de logica van vrijdag de dertiende en een fiets met een lekke band.

Ik klemde het stuur vast en drukte mijn vingernagels in de kussens van mijn handen. Ik zette de motor uit. Het geratel hield gewoon aan. Ach. Alsof wetenschappelijke kennis het ooit al heeft gewonnen van het menselijke geloof. Ik stapte uit. De lucht viel op mij, als een deken. Binnen enkele seconden gleden druppels zweet langs mijn slapen. Ik had mijn colbert net zo goed meteen uit kunnen doen. Mijn hemd plakte tegen mijn oksels.

Het hek van de oprijlaan stond open. In de verte klonk het geluid van een naderende trein. Ik hield het hoofd schuin. Bizar, hoe je dat automatisch doet wanneer je iets goed wilt horen. De cadans zwol langzaam aan en stierf even traag weer weg. Typisch zo'n geluid waar veel mensen makkelijk aan wennen.

Ik liep langs geparkeerde auto's naar het huis. Ik rook de hitte van het metaal en de motoren die bij dit weer nauwelijks afkoelen. Grind knarste luid onder de gladde zolen van mijn schoenen. Ik ging er behoedzaam van lopen.

Ik belde aan. Niemand deed open. Dat was een mooi moment geweest om rechtsomkeert te maken.

Achter het huis weerklonken menselijke geluiden, gelach als rinkelend glas.

Ik belde een tweede keer aan, lang en hard. Een onaangekondigde gast kon toch moeilijk zomaar langs de zijkant van het huis naar de tuin lopen, alsof hij hier kind aan huis was. Maar ik had geen keuze. Ze konden die bel niet horen. Het was zonneklaar. Ik moest het erop wagen. Tenminste, dat vond ik op dat moment. En ze zouden blij zijn mij te zien. Dat zijn ze overal. Dus dat deed ik.

Binnen drie stappen begon de sirene te loeien.

Er sprong kippenvel op mijn huid, zelfs bij die temperatuur. Bijzonder hoe dat kan. Maar wat een onvoorstelbaar geluid. Hard. Klagend. Scherp als een mes, dat de hete lucht in dikke plakken sneed. Ik bleef staan. Er was niets wat ik durfde te doen. En toen sprongen ze tevoorschijn vanachter een hoek: Dirk en Nonkel César – van wie ik op dat moment uiteraard niet wist dat het Nonkel César was en het moge ondertussen duidelijk zijn dat ik het ook liever nooit had geweten.

'Ome Lex!' riep Dirk, of tenminste dat dacht ik op zijn lippen te lezen. Dirk leek niet verrast. Nonkel César lachte en streek met een zakdoek over zijn dunne rode haren, strak naar achteren gekamd, vettig van het zweet. Dirk gebaarde dat ik mee moest lopen. We liepen met zijn drieën terug naar voren. Het geloei hield aan. Ik dacht aan brand maar ik rook niets, hooguit de lome geur die zomerse warmte altijd met zich mee schijnt te brengen. Dirk opende de voordeur en we gingen naar binnen. Boven de lichtschakelaar hing een klein kastje. Snel drukte hij op een paar toetsen en toen stopte dat waanzinnige geloei eindelijk, abrupt, alsof iemand het uit de lucht plukte.

'Ziededa?' zei Dirk tegen Nonkel César en hij trok hem aan zijn arm weer naar buiten en liep terug naar de plek waar ze mij hadden betrapt. Dirk wees omhoog, naar de dakgoot en ik zag het kleine, witte toestel dat er vlak onder was gemonteerd.

'Dat is de sensor. Zo heb ik er zeven hangen.' Dirk zwaaide met zijn armen om zich heen.

Nonkel César wreef met zijn hand over zijn kin.

'En wat kost die grap nu?' vroeg hij. Maar Dirk richtte zich tot mij.

'Ome Lex, niet te hard geschrokken? Oma had gezegd dat ge kwam, plezant, kom mee.'

We liepen in de richting van de tuin. Nog voor we de hoek hadden bereikt vanachter welke Dirk en Nonkel César tevoorschijn waren gekomen, wees Dirk opzij, naar het struikgewas dat, een meter of vijf van het huis verwijderd, de voortuin afbakende.

'En kijk, dat daar, wat is dat, denkt ge?'

Nonkel César haalde de schouders op.

'Hekken. Ziet ge bijna niks van hè. Wacht.'

Hij trok hem mee, en stak het stukje gras over tussen het huis en de struiken, duwde wat takken en bladeren opzij en daar stond inderdaad een stevig stalen hek.

Nonkel César trok er even flink aan maar het gaf niet mee.

'Stevig.'

'Ge moogt gerust zijn,' zei Dirk. 'Ziedediepieken?'

Hij wees omhoog. Nonkel César begon te lachen.

'Daar kunt ge 'n neger aan ophangen.'

'Ge moogt gerust zijn,' zei Dirk en hij lachte mee.

'Ik heb ze hier staan, van voor, en dan loopt het helemaal door tot vanachter. Daar heb ik er klimop op laten zetten, dat dekt schoon af. In 't rommelhofke mogen ze komen. Daar valt niks te rapen, behalve eieren dan hè, ha! Kom, Ome Lex, we gaan naar de anderen, excuus, Nonkel César wilde zien hoe mijn veiligheidsplan werkt. Het alarm heb ik vorige week laten installeren. Kom.'

Een veiligheidsplan. Zonderling. Zeker in retrospectief. Ik vroeg of er veel inbraken waren in de buurt.

'Maar nee gij, dat is hier een fatsoenlijke buurt, hè, Ome Lex.'

Nonkel César knikte en zei: 'Een ongeluk zit in een klein hoekske.'

En hij lachte wéér. Schor. Het hield het midden tussen giechelen en rochelen. Typisch voor iemand die net is gestopt met roken. Dat doen er veel van onze leeftijd. Pas als de mensen het kwaad hebben binnengelaten, vergrendelen ze de deur.

We stonden op het terras, dat over de volle breedte van het huis aan glazen schuifdeuren grensde. Geribbelde vlonderplanken. Je ziet ze tegenwoordig overal. Onder twee grote parasols stonden tafels gevuld met schalen die met zilverpapier waren afgedekt. Vanaf het terras helde het terrein af. Dirk zwaaide naar beneden waar de gasten rond lange tafels met witte papieren tafelbekleding zaten. Bij de vijver, aan de andere kant van de tuin, hadden zich nog wat mensen neergevleid. Daartussenin stond een trampoline, waarop een meisje zat. Dat bleek later Billie te zijn. In de verte weerklonken de stemmen van andere kinderen.

Ik zag vrij veel onbekende gezichten en andere had ik al meer dan tien jaar niet gezien. Ik herkende ze zoals je mensen herkent die je goed hebt gekend. Tien jaar is lang genoeg. Je ziet de verandering in hun gelaat. De wegen die ze zijn ingeslagen, en of daar ook de juiste tussen zat. Wat zou mijn gezicht verteld hebben aan wie het vanmiddag voor het eerst zag? Martha zwaaide terug. Nonkel César liep naar beneden. Een bal vloog het gras op. Billie sprong van de trampoline. Ik moest plassen.

Dirk riep: 'Hier zie, we hebben den bandiet in zijn kladden gegrepen!'

3

Wanneer je je leven lang bij de mensen thuis komt, leer je om het juiste moment te kiezen. Even rustig de zaken overpeinzen. Je positie bepalen. Je houding overwegen. Het toiletbezoek is de koele joker waarmee ik mezelf graag uit de hitte en benarde spelsituaties red. Een keer of vier op een middag zonder onnodige verdachtmakingen over jezelf af te roepen. Het kan net. En vanmiddag was het misschien wat ongewoon – ik had de andere gasten nog niet eens gegroet – maar ik moest dan ook écht. Verontschuldigend had ik mijn hand opgestoken in de richting van de tafels, met mijn andere hand naar het huis wijzend en Dirk had mij een klap op de schouder gegeven, gezegd dat het begrijpelijk was, na zo'n lange rit. Door de keuken en de woonkamer, op de gang de eerste deur rechts. Kan niet missen, Ome Lex.

Dat kon ik wel waarderen.

Aan de binnenzijde van de deur hing een verjaardagskalender. Het was een gepersonaliseerd exemplaar, zoals je die op allerhande websites zelf kunt samenstellen. Dat is wat de mensen tegenwoordig willen. Alles zelf maken. Omdat het kan. De mensen zijn vergeten waar vakmanschap om draaide: het respect en de dankbaarheid voor iemand die met liefde lang en hard werkt om iets precies op maat te maken. Niet om dromen te vervullen, maar om ze te verbeteren. De illusie van zelfredzaamheid. Het idee dat de mensen alles zelf kunnen. Niemand meer nodig hebben. Iedereen mogen, móéten zijn. Ik heb niet de indruk dat de lat des levens er bepaald hoger door is komen te liggen.

Op elke pagina van de kalender stonden foto's van wie jarig is. Deze maand: de broer van Dirk. Hoe lang was dat nu geleden?

Buiten weerklonk het geluid van stemmen, die zich met elkaar vermengden. Door de ramen en muren gedempt, klonk het als een gebed. Ik speelde met de ring aan mijn rechterhand, schoof hem van mijn vinger en weer terug. Ik moet dat doen. Ik ben altijd bang dat ik hem ga laten vallen. Dat is nog nooit gebeurd.

Ik had naar deze dag uitgekeken maar toen ik even daarvoor samen met Nonkel César en Dirk het terras op was gewandeld, had een plotse twijfel mij overvallen. Frappant, hoe dat werkt.

Wat kwam ik eigenlijk doen? Hoe lang was het geleden dat ik Martha en vooral de kinderen voor het laatst had gezien? En was daar een reden voor geweest? Zulke vragen.

Ik zie mezelf nog zitten, indertijd, de eerste keer dat ik bij Martha thuis op bezoek kwam. Thomas was nog een kind. Hilde had de tekenwedstrijd van het parochieblad gewonnen en ik had de prijs gebracht: een boek over de missies. Daar doe je een meisje van veertien plezier mee. Daar ben ik me terdege van bewust.

Het was een herfstige woensdagmiddag geweest. Martha had zacht en doordacht gesproken. Er ging een rustgevende kracht van haar uit, alsof we elkaar kenden van vroeger. Dat was niet het geval, ik ben toch wat jonger. Wel bleken we tot mijn verrassing uit hetzelfde dorp afkomstig te zijn, gemeenschappelijke kennissen te hebben, en plekken waar we allebei op ongeveer hetzelfde moment geweest moesten zijn, zonder elkaar ooit te hebben ontmoet. Hoe vaak kunnen de wegen van twee mensen kruisen, voordat ze elkaar leren kennen?

Martha had het boek geopend, vragen gesteld, de pagina's gestreeld, die glansden in het dansende licht van twee kaarsen die brandden op de adventskrans in het midden van de tafel. Thomas had een groen laken op de grond uitgespreid, een voetbalveld. Hij was een tengere jongen, fijn en breekbaar, in zichzelf gekeerd. Behendig tikte hij de kleine spelers rond, papieren pionnen die op halfronde voetstukken waren gelijmd. De ogen tot smalle strepen samengeknepen, zijn voorhoofd in een frons die niet paste bij zijn leeftijd. Dan sprong hij weer op, zijn knieën rood, en bekeek het spel vanuit de hoogte, om goed overzicht op de situatie te verkrijgen – om daarna weer neer te zinken en de gewenste wedstrijdwending vorm te geven. Zo zou ik hem nog vaak zien spelen, urenlang, en urenlang kon ik naar hem kijken, totdat de kamer verdween.

Er was een stilte gevallen, en toen had ik uit de lederen foedraal die ik in die tijd altijd en overal met mij meedroeg, een stapel papieren en een dikke viltstift genomen. Zo eentje met een schuine punt. Daar moet je voorzichtig mee omspringen. Als de inkt op je vingers komt, krijg je het er niet meer vanaf. Dan moet het slijten, en dat kan lang duren.

Ik riep Thomas bij mij en vroeg hem een krabbel op het papier te zetten, gewoon een wilde krabbel, eender wat. Thomas had opgekeken, naar Martha, die had geknikt.

Aarzelend nam hij de stift en zette een krabbel op het papier. Een mislukte acht.

Ik nam het papier van hem over, legde het voor mij en bestudeerde die krabbel aandachtig, alsof het een wiskundige formule betrof. Ik zei dat Thomas een prachtige vis had getekend. Zo'n mooie grote vis had ik nog nooit gezien. Ik nam de stift tussen duim- en wijsvinger en hield hem recht omhoog, voor de ogen van het kind, als een kleine toverstaf.

Thomas ging terug bij Martha staan, liet zijn hoofd op haar schouder leunen, en legde zijn hand in de hare.

Ik vroeg of hij mij wellicht niet geloofde.

Thomas haalde zijn vrije schouder op.

Ik vroeg hem om zijn ogen te sluiten.

Hij verborg zijn gezicht in de boezem van zijn moeder.

Mooi toch.

Ik was goed met kinderen in die tijd.

Ik herinner mij Thomas' lach. Een bliksemschicht.

De ene helft van de acht was een oog geworden en de andere helft, die mislukt was, het had meer een rechthoek geleken, was een vin die ongeveer halverwege het enorme lijf van een walvis hing. Uit zijn hoofd spoot een enorme fontein. Hij had een mond die lachte, een brede staart die vrolijk zwabberde. En in het zog van die goedaardige reus zwommen een paar kleinere exemplaren die blijmoedig opkeken naar wat hun leider leek.

'Wist je,' had ik gezegd, 'dat walvissen kunnen zingen?'

Thomas had het hoofd geschud. Aandoenlijk. Ik was een magiër, die dingen wist en kon die Thomas niet zag. De clown, de nar, die entertainde in het belang van de hogere zaak. Dat was Ome Lex. Dat was mijn rol, mijn entreekaartje naar de harten van de mensen waarmee ik de indruk wekte onverdacht te zijn. Pas later kwam het gewetensbezwaar, als een struikrover.

Maar in al die jaren dat ik bij Martha en haar gezin op

bezoek bleef komen, totdat de kinderen te oud waren geworden, ben ik altijd integer gebleven. Dat weet ik wel zeker. Ze noemden mij na verloop van tijd niet voor niets Ome Lex. Dat vond Martha mooier dan nonkel. Daarin heeft ze gelijk. Oom. Het heeft een zekere klasse. En God was mijn metgezel, die nimmer van mijn zijde week. Geen man heeft langer en vaker met God geconverseerd dan ik. Laat dat duidelijk zijn. Maar ik was niet star of blind. Mijn latere ontslag uit het geloof is mijn eigen beslissing geweest. Niemand heeft mij betaald. Ik ben van God weggelopen, alleen, voor eigen risico, de last van zijn leven in mijn armen wiegend als een slapend kind. Ome Lex kon het leven alleen ook wel aan.

Alleszins. Het was een mooi toilet. Dat dient gezegd. Eenvoudig, maar smaakvol. De muren van de grond tot aan het plafond bezet met grote witte tegels. Heerlijk koel.

Buiten werd nog steeds gebeden. Ik stond op, keek in de spiegel en toen – en dat zal wellicht zonderling klinken, gezien de huidige omstandigheden – maar toen heb ik mijn geslacht in mijn hand gelegd en mezelf in stilte toegesproken. Hier ben je dan, Ome Lex. Voel die verrimpelde huid. De druppel die over de rug van je hand naar beneden glijdt. Laat je wenkbrauwen zakken, als een troostrijk afdak. (Dat zegt Martha altijd. Daarom laat ik ze nooit bijknippen.)

Voor een buitenstaander zou dat er zonder meer verdacht hebben uitgezien. Maar ik doe het regelmatig. Zo krijg ik vrede met mezelf. Probeer om, al is het maar enkele seconden, heel dicht bij de kern van mezelf te komen. Ik kan niet geloven dat ik de enige ben. Mensen doen zoveel dingen die niemand ziet.

Ik maakte mij schoon. Spoelde door. Het ruisen van de

zee. Ik trok mijn broek op en legde mijn hand op de deur-
klink, die glad en koel was. Ik was er nu toch. Genoeg ge-
talmd.

Vroeger was ik de graag geziene gast, die lange regenachti-
ge woensdagmiddagen opfleurde. Wanneer ik nu ergens
verschijn, zoals daarstraks, op zo'n zinderende zaterdag-
middag, voel ik de blikken van de mensen, als de loop van
een geweer dat is gericht op de lege revers van mijn colbert.

Vroeger waren mijn krabbels en pianoriedels wapens,
troeven die ik gedachteloos uitspeelde. Nu zijn ze mijn enige verweer voor de gedachten die door hun hoofden spelen, één lange reeks vragen. Ik hoor ze iedere keer.

Wat voor man treffen wij hier? Wat heeft hem hier gebracht? Welke geheimen liggen verborgen in zijn stilte, als
in een onderaardse grot? Wat heeft hij misdaan? Wat was
zijn motief? Hoe voorziet hij dan in zijn onderhoud? Is hij
misschien een misdadiger? Homoseksueel? Racistisch?

In wezen ben ik niet veranderd. Ik zou het nog steeds
kunnen. Ik ben nog steeds een zendeling, in hart en nie-
ren. Maar redelijkheid is, net als toeval, moeilijk uit te leggen, veel moeilijker dan God. Dus maak ik een tekening, of
speel ik een lied, probeer ik, al was het maar enkele seconden, die mist uit hun hoofden te verdrijven. Het wil maar
zelden lukken. Nu weer, met die dekselse ruis. Eerst willen
de mensen de waarheid. Dan willen ze bewijs. Wat zullen
ze morgen willen?

Ze beseffen niet dat er niets te horen valt. Dát is het probleem. Ze luisteren naar een geluid dat ze zelf voortbren-
gen en de klank wordt bepaald door het trillen van hun eigen schedel.

Al vaak heb ik gesnakt naar een groter gebaar. Grovere

middelen. Een mirakel, ja, waarom niet. Als dat kon. Maar nu werpt dat verlangen een donkere schaduw over de gebeurtenissen zoals ze zich vandaag hebben voltrokken.

Wie moet de jonge mensen dan redden, wier ziel nog zuiver is als pas gelapte ramen? Wie moet hen wijzen op de regen en het vuil die hun zicht belemmeren? Wie verdedigt hun dromen?

Ik ben terug de woonkamer in gelopen, door de keuken, het terras op. Ik zag Martha zitten, aan de hoek van de tafel die op het grasveld stond. Ze keek op en lachte. Blij om mij te zien. Arme Martha.

En toen moest het spektakel nog beginnen.

Het is een stil lied, zonder stem. Niemand die het zingt. Een engel die gedachteloos plukt aan de snaren van een harp. De klanken hangen doelloos in de lucht, alleen wie het wil hoort het. Een melodie als de hand van een moeder die zachtjes de haren van haar slapende kind streelt, niet om haar wakker te maken maar om haar te laten weten dat ze er is, dat de dromen die de pupillen achter haar oogleden doen bewegen niet meer zijn dan dat: een droom, en dat de liefde die daarbuiten leeft op haar neerkijkt en haar beschermt.

Dan komt het dichterbij, wordt luider en met het volume neemt de vrolijkheid toe. Het is geen lied om op te slapen, het is een lied om op te dansen, repetitief, als een orgel dat telkens opnieuw wordt aangezwengeld, de eindeloze pirouette van een ballerina die uit een speeldoos springt. En nu kijken de gasten op, zetten hun glas neer, knikken naar elkaar totdat iedereen het hoort en wanneer iedereen het hoort, hoort ook het kind het, dat net nog sliep. En ten slotte draait het feest de straat in, als een carnavalsstoet. Er is geen ontsnappen aan.

'Ze wil een ijsje,' zegt Isabelle.

'Ze eet het toch niet op,' zegt Simon.

'Wat zal ik doen? Een hoorntje of een bekertje?'

'Ze eet het niet.'

'Eén bolletje aardbei, schat?'

'Schat, ze eet het niet, we doen het iedere keer.' Simon draait zich om, richt zich tot Martha: 'Ze likt twee keer en dan wil ze het niet meer.'

Martha knikt, haast onmerkbaar. De hele middag is ze zwijgzaam maar oplettend. Ze zit op haar stoel als een toeschouwer die de gebeurtenissen om zich heen nauwgezet registreert zonder er deel aan te nemen. Ze kijkt naar een film, wacht tot de violen met pizzicato spel zullen aankondigen dat er iets te gebeuren staat, aandachtig het voorspel aanschouwend, de schijnbaar gebeurtenisloze expositie van een Griekse tragedie, de eerste zetten van een schaakspel: standaard bewegingen, als onschuld vermomde strategieën die haar straks kunnen vertellen hoe het allemaal mis heeft kunnen gaan.

Martha perst haar lippen samen, trekt haar mond scheef, en neemt een slok van een glas water.

Isabelle laat zich gewillig uit haar stoel trekken door haar dochter. Het kind stippelt het pad voor haar uit aan de hand van dingen die niemand anders ziet: een walvis in de vijver, een krokodil die onder tafel zit.

'Kijk 'ns,' zegt het kind. 'Kijk 'ns. Aapjes.' En ze wijst naar de lucht, waarin nu enkele witte wolken drijven, als verkenners.

'Schaapjes,' zegt Isabelle.

'Ja, aapjes,' zegt het kind.

Thomas heeft zich ook aan tafel gezet, naast zijn moeder. Hij houdt Isabelle in de gaten, hij observeert haar vanachter zijn brillenglazen, alsof die zijn blik verbergen. Hij draait zijn hoofd niet, beweegt geen spier – alleen zijn ogen. Een reptiel.

'Zijt ge er blij mee, jongen?' Martha wijst op zijn bril. Thomas haalt zijn schouders op. 'Uw vader was van uw leeftijd, toen hij een bril moest. Da's de jonge ouderdom, hè.'

'Maar allez, Nonkel César.' Simon en Dirk slaan om beurten op de schouder van Nonkel César, die het hoofd schudt en lacht zoals mensen doen wanneer ze ontkennen wat ze graag zouden willen vertellen. 'Er is toch niks verkeerd aan Oost-Europese vrouwen?' zegt Simon. 'Sommige van mijn favoriete films gaan integraal over Oost-Europese vrouwen, hè Dirkske?'

De Weduwe zit ingeklemd tussen Tante Corry en de Kabouter, haar theemok nog steeds in beide handen. Ze luisteren naar de Militair en zijn vrouw, die vertellen over hun nieuwe wagen, een cabriolet.

'Hadden we hem eerder gekocht, dan hadden we er nog meer van kunnen genieten natuurlijk.'

'Maar nu genieten we dubbel, hè. Cabrio rijden, dat is leven, dat is hét leven.'

'En gezond, hè. Ik ben nooit meer ziek sinds wij cabrio rijden.'

'In het begin reden wij pas cabrio vanaf twaalf graden. Een zonneke, en twaalf graden.'

'Minimum.'

'Dan hebben we het een keer bij negen graden geprobeerd. Hé, weet ge nog?'

'Dat ging ook.'

'En in februari, de zon scheen, ik zeg: hoe warm zou het nu zijn?'

'Vier graden.'

'Vier graden.'

'Wij in de cabrio.'

'Dat ging ook.'

Er zijn verschillende mensen die knikken en beleefde

bewondering uiten. De Kabouter bestudeert zijn toestel, bladert door de foto's die hij tot nog toe heeft gemaakt. Af en toe bromt hij tevreden bij het zien van het resultaat, en wurmt zijn arm voor de Weduwe langs om Tante Corry in zijn voldoening te laten delen.

De Weduwe lijkt het niet te merken. Ze heeft de blik gericht op de vader van Dirk, die aan de andere kant van de tuin staat. Alleen. Hij pendelt van de schommel naar het rozenperk en terug terwijl hij hardop tegen zichzelf praat, alsof hij oefent voor een interview in een talkshow.

'Tja, hoe gaat dat?' zegt hij. 'De dag erna, in de kantine, zeiden we tegen elkaar: pakt een curryworst, ze hebben er vers vlees in gedraaid vandaag. Ge wilt uzelf niet laten kennen. Stoer doen, hè.'

Hij haalt zijn schouders op.

'Een klap op uw schouder, twee bakken koffie, en een dag congé. Dat staat ervoor, meneer. 't Is waar. De volgende dag nemen ze u nog 'ns mee terug naar de plaats van het ongeval om te laten zien dat alles proper is. We komen daar aan. Het wás proper.'

Elke spier in zijn gezicht trekt samen, niet langer dan een seconde.

'Kom, zei de procesmanager, kom, we nemen samen de trein terug, om twee uur begint uw shift. Meneer. Ik zweer u. We hebben geen tien minuten gereden. Stond ik daar wéér, hè. Met mijn koffer en mijn zeil. Ja. Zo gaat het dikwijls, hè. Een klap op uw schouder, drie bakken koffie, twéé dagen congé.'

Hij steekt zijn vinger omhoog, houdt hem bij zijn oor. Gerommel in de verte.

'Soms missen ze ook, hè. Gene zever. Springen ze te ver. Staan ze op het spoor ernaast te koekeloeren. Moet ge toch stoppen. Dat zijn de regels, hè. Moesten we ze meenemen tot het volgende station. Dikwijls patiënten, uit een inrichting. Geen enkel protest. Platgespoten. Ze gaan zitten, ge praat ermee. Ge kunt even goed tegen 'n blinde muur praten. Dat zijn geen mensen. Het is juist een kwestie van tijd.'

Behalve de Weduwe is er niemand die acht op hem slaat. Alleen Dirk kijkt af en toe om, en zoekt dan vergeefs een geschikte bestemmeling voor de geërgerde blik die hij wil delen.

Thomas vraagt Martha of er wat is, hoe het met haar gaat.

'Ssst,' zegt ze en ze legt haar hand op zijn arm. Thomas heeft niet het gevoel dat ze bedoelt dat hij moet zwijgen, noch dat ze wil horen wat de Militair en zijn vrouw vertellen. Ze houdt haar hoofd schuin, de blik op het dak van het huis gericht. In de verte speelt een melodie.

'Hoor je dat?' vraagt Martha.

Thomas hoort het. Ze lijkt te ontspannen en richt zich op haar oudste zoon, die wederom het hoogste woord voert.

'Het is juist góéd, Nonkel, wanneer ge niet te veel gemeenschappelijke interesses hebt, een beetje afstand kan geen kwaad in een relatie, liefde is 'n puzzel, geen spelleke memory, hè!' Simon schenkt de twee anderen en zichzelf weer bij om op dit voortschrijdend inzicht te klinken. Hoe lager de zon komt te staan, hoe trager en luider hun stemmen, hoe onvaster de blik in hun ogen, alsof het niet hun ogen zijn, maar gaatjes in een masker van waarachter een monster de gebeurtenissen gadeslaat.

Thomas denkt aan wat de Thaise Bruid bij de vijver heeft gezegd, toen ze vertelde hoe ze Nonkel César had leren kennen; via een relatiebureau. Zo kan het ook. Maar het probleem is niet dat hij niet weet wat hij wil. Dat is het nooit geweest.

Simon wendt zich opnieuw tot Isabelle. Er hangen rode druppels aan de stoppels boven zijn lippen, zijn blik dwaalt om haar heen: 'Doe anders 'n lolly. Dat is gemakkelijker om te eten voor haar.'

'Het is superlekker ijs. Weet je nog, vorige keer?'

Isabelle knielt neer bij het kind.

'Wil je een hoorntje, schattebout, of een bekertje?'

Het kind zegt: 'Ja.'

'Hal-lo!' Simon zet zijn ene hand aan zijn mond en met de andere knijpt hij zijn neus dicht, een radiostem imiterend. 'Hier de aarde met een bericht voor het moederschip: ze eet geen ijs.' Hij draait zich weer om. Vloekt binnensmonds. Zo is ze altijd geweest. Ze praat niet. Ze luistert niet. Ze herhaalt gewoon wat ze vindt, in verschillende vormen, een vraag, een opmerking, een vaststelling. Totdat hij opgeeft. Koppig mens. Praten hebben ze nooit veel gedaan. Hij herinnert zich de eerste keer dat ze samen uitgingen. Het was een concert, of een feest, ze waren met een grote groep. Ze hadden elkaar de hele avond nauwelijks gezien of gesproken. Maar toen de hele bende naar huis fietste, door het gloren van de dag, op de tonen van liederen die de stadsvogels zongen, en zijn vrienden een voor een afscheid namen, was zij met hém meegegaan. Waarom wist Simon niet. Hij vroeg zich af of zij het ooit had begrepen. En zo waren ze bij elkaar gebleven, bij gebrek aan iets wat hen bond. Nu was er het kind, als een onneembare vesting die de weg naar een ander leven versperde. Simon vond het prima. Af en toe fantaseert hij over hoe het anders had kunnen lopen, en met wie, en wie weet: hoe het nog steeds zou kunnen, als ze het kind even buiten beschouwing lieten, want aan die ellende wil hij liever niet denken. Hij ziet er nog goed uit. Het zou nog kunnen. En die mogelijkheid is de reddingsboei waar hij zich aan vastklampt en zo drijft hij door het leven: als een kansloze drenkeling die weigert los te laten. Hij overziet de tuin. Bij de vijver slentert de Thaise Bruid, op wie Nonkel César zo trots is, als was ze een chique flat-screentelevisie. Een Thaise. Dat zou ook nog kunnen. Alles is te koop. Simon denkt: straks even het toilet opzoeken.

Martha trekt haar mond scheef en knipoogt naar Isabelle. Nonkel César vraagt Simons aandacht door een fles wijn tegen diens glas te duwen. Het geluid van de ijskar is nu vlakbij, aan de voorzijde van het huis. Dirk staat op, loopt een paar meter in de richting van de groene muur die de achtertuin verbergt en vraagt luid of iemand soms een ijs-je wil. Er stijgt gejuich op.

Ome Lex gaat staan en loopt ook die kant op. Hij bereikt de ingang van de achtertuin precies op het moment dat de kinderen eruit komen rennen, en houdt zich met moeite staande in de nauwelijks af te remmen tegenstroom van haastige schoenen en stof en zand, dat opstuift in de lucht, voortgestuwd door een storm van opgewonden stemmen. Hij bestudeert het slagveld dat opgelucht achterblijft. Her en der ligt speelgoed, een emmer, een voetbal. Er hangt een stilte, zo'n stilte die ontstaat wanneer een enorm ka-baal net is uitgestorven. De kippen komen voorzichtig uit hun hok, ongelovig, en beginnen te pikken in de grond. Ome Lex loopt verder, langs het tuinhuis tot aan het hou-ten hek waar de weide begint. Hij steekt een sigaret op en blaast de rook voor zich uit.

'Dus, wat vindt u, ehm, je ervan, van mijn idee?'

Opeens staat ze naast hem. Hij vraagt of zij geen ijsje wil. Ze haalt haar schouders op, en ze praten wat. Vanuit de weiden komt een zachte bries hun tegemoet, die ritselend verdwijnt tussen de bladeren en het struikgewas.

'Hoor je dat?' vraagt Billie.

'De wind,' zegt Ome Lex.

Billie durft niet te zeggen wat ze hoort. Het lijkt een lied, niet het orgel van de ijscokar, maar meisjesstemmen. Een echo gedragen door de wind, flarden van gezang die haar oren in vliegen als vlinders. Ze sluit de ogen. Ze ziet een heuvel in het zonlicht, een vuur dat brandt, blote meisjesvoeten die dansen in het zand, handen en armen die haar omhelzen en welkom heten, welkom thuis, Billie, welkom.

Ome Lex vraagt of het gaat.

'Ja,' zegt Billie. 'Alles gaat.'

Ze praten nog wat, en wanneer Ome Lex klaar is met roken, lopen terug de tuin in. Billie drentelt naar de andere kinderen, die samen op de trampoline aan hun ijsje liggen te likken als een nest jonge honden. Ome Lex gaat weer naar de tafels, waar nu ook het kind zit, in een hoge stoel, tussen Martha en Thomas in. Isabelle is nergens te bekennen. Op de grond ligt een bekertje ijs te smelten.

Aan de andere zijde van de tafel is Simon opnieuw in druk gesprek met Dirk en Nonkel César. Martha kijkt Thomas aan alsof ze iets weet of in hem ziet wat hij zelf nog niet wist. Maar tegelijk ook vertederd en warm. Alleen moeders kunnen dat.

'Ik heb een paar sterke mannen nodig.'

Hilde staat op het terras en ze klapt in haar handen, gewend om de aandacht van luidruchtige kinderen te trekken. De schuiframen van de woonkamer staan al open.

Simon en Dirk staan op, gevolgd door Nonkel César, en Dirk roept naar Thomas: 'Gaat ge mee? We doen het buiten dit jaar, met zo'n mooi weer.'

'Hey Dirkske, ze vroeg om stérke mannen, hè.' Simon. Uiteraard. Vroeger, op school, deelde hij klappen uit aan jongens die dat soort dingen tegen Thomas riepen. Maar voor eigen publiek lijkt het alsof scoren het enige is wat voor hem telt en dit zijn de kansen die hij niet graag mist: er worden echte mannen gevraagd, echte sterke mannen, en daar rekent hij zichzelf toe en wat hij is, dat kan Thomas niet zijn. Zo is het altijd geweest.

'Allez, dikke, kom.'

Begeleid door het gegniffel om hem heen, loopt Thomas over het grasveld de helling op, die naar het terras leidt. Het is geen probleem. Hij is het gewend. In zijn hoofd spelen beelden die Simon niet kent: glas dat trilt, het monotone dreunen van een bassdrum, ritmisch gekreun, een onvaste stem die zingt.

Terwijl de mannen binnen zijn, wordt de anekdote verteld, de anekdote die uiteindelijk iedereen hier is. Eerst de voorpret: een perpetuum mobile van gelach en herkenning, instemmend geknik van hoofden, in slow motion, zwaar van de drank. Dan de gespeelde verwondering, armen gespreid, armen zwaaiend in de lucht, als spasmen, opzij, omhoog, en dan, bij de clou van het verhaal, vuisten die neerdalen en het tafelblad splijten als mokers, glazen die opspringen, met gerinkel de vertelde historie bezingen tot de echo van jolijt opstijgt, en de lucht vult.

Het is waar wat zijn moeder zegt. Hij is vermagerd. Nog magerder. Hij kan zijn ribben weer tellen. Zoals vroeger, zegt Martha, toen de zomers nog ongestraft heet konden zijn, maanden aan een stuk, zo heet als vandaag, en hij bij zijn grootouders in de tuin grommend uit een teil water oprees, met ingehouden adem en gebalde vuisten siste dat hij een monster was. Een gestroopt konijn, ja. Zei de moeder van Martha dan.

Ze vertelt nog meer. Hoe hij ter wereld kwam en wat de dokter zei en hoe warm het toen was en dat hij nog tussen de tralies van het tuinhek door kon toen hij al twaalf was, dat waren smalle openingen, hooguit een centimeter of tien tussen elke stalen tralie, nee, die dingen gaven niet mee dat was echt hoe mager hij was, nog altijd is, nee, hij is er sindsdien niet dikker op geworden. En nu ook nog een bril.

De mannen komen uit de woonkamer met de piano: Simon op kop, het gevaarte half op zijn rug, Dirk en Nonkel César die de achterkant beethebben, en Thomas met zijn handen onder de zijkant en een uitdrukkingsloos gezicht.

Stap voor stap strompelen ze de helling af, de tuin in, tot in de perfectie de instructies negerend die de Militair brult. Hij is de man van het plan, de coördinatie, de tactiek. Hij is hier niet voor zijn plezier, maar om de boel in de gaten te houden. Niet om feest te vieren maar om ervoor te zorgen dat alles netjes en ordelijk verloopt. Hij gedraagt zich als iemand die niet graag zijn plicht verzaakt, zich er ten volle van bewust dat de mensen niks weten, dat het slechts burgers zijn die zonder zijn leiding niets meer zouden zijn dan een stuurloze eenheid, doof en blind. En zo trekt het konvooi door het gras als door een woestijn, dwalend, naar links, naar rechts, totdat het op onverklaarbare wijze de plek van bestemming bereikt, in de hoek van de tuin, naast de schommel, voor de rozen. En net wanneer de Militair zich opmaakt om de operatie af te ronden en het sein te geven voor het lossen van de vracht, staat Martha op uit haar stoel, voor de eerste keer die middag, ze staat recht en ze zegt: 'Ge weet toch dat ze onweer hebben voorspeld.'

Er wordt gezucht en gesteund en iedereen kijkt omhoog, ook de sjouwers van dienst, voor zover dat gaat want de piano duwt tegen hun schouders en armen, en het zweet loopt overal, over hun voorhoofd, langs hun haren, in hun nekken. Hun wenkbrauwen lekken als dakgoten, belemmeren vrij zicht.

De Militair zet zijn rechterhand horizontaal tegen zijn voorhoofd als een indiaan. Hij steekt zijn linkerwijsvinger in zijn mond en dan in de lucht, om de windrichting te bepalen. Er is niks te zien, hooguit een paar witte wolken, en er is geen wind, alleen het gefluister van rozenstruiken en de stem van het kind dat zingt, zittend in het gras, twee houten blokjes in de hand.

Het kind kijkt naar de lucht, omdat iedereen omhoogtuurt. Alleen het kind zoekt niets. Ze steekt de blokken omhoog. 'Zie je dat?' zegt ze. 'Die is dood.'

Ze laat een van de twee blokken vallen. 'En die. Die ga ik ook doodmaken.'

De tweede blok raakt het gras. Zonder haar armen te laten zakken, zonder haar blik af te wenden van het blauwe staal dat boven hen zweeft. Ze begint te zingen. Een zacht, monotoon lied. Thomas kent het niet. Maar hij beseft hoe het kind kijkt: alsof het zich de toekomst verbeeldt.

'Laat 'ns los, Thomaske, laat maar los,' zegt Simon en Thomas weet waarom hij dat zegt. Hij zou loslaten, en dan zou hij het nog eens zeggen, laat maar los, en dan zou hij quasiverbaasd zijn als zou blijken dat hij al heeft losgelaten. Thomas is moe. En niet alleen van de inspanning. Hij ziet het kind zitten, en hij ziet Isabelle. Zijn moeder staat nog steeds rechtop, naast Ome Lex. Misschien is het Ome Lex. Hij die alles ziet. Hij die iedereen al de hele middag lang het gevoel geeft dat alles wat ze doen en zeggen gezien en gehoord wordt. En dat Simon zich daarom uitslooft. Dat het daarom is dat de Militair niet zit en zwijgt. Dat het daarom is dat Thomas zo onrustig is, en voortdurend Isabelle zoekt. Het zijn de ogen van Ome Lex die haar schoonheid opnieuw voor hem zichtbaar maken. Zijn het niet altijd de ogen van een ander die een mens in beweging brengen? Wie ziet de mensen wanneer ze alleen zijn?

De piano wordt neergezet. De Militair loopt om het instrument heen, als een toneelmeester die het podium inspecteert.

Hij zegt: 'Goed, laat mij efkens nadenken.'

'Als je moet nadenken,' zegt het kind, 'dan moet je in de hoek gaan staan.'

ZOALS DE WALVISSEN ZINGEN

ZINGEN — II

1

Buiten dringt het ochtendlicht langzaam door de duisternis heen. Binnen staan de Weduwe en Martha, zij aan zij, voor het keukenraam.

'Hoofdpijn?' vraagt de Weduwe. Martha schudt het hoofd. 'Gij?'

'Nooit meer,' zegt de Weduwe. Martha neemt een slok van de opgewarmde koffie. De geur kruipt uit de mok als een worm, haar neus in. Ze zet de mok neer.

'Zal ik verse koffie zetten?' Nu schudt de Weduwe het hoofd.

'Soms drink ik drie dagen van één pot. Niemand die klaagt. Hebt gij dat niet?'

Door de jaren heen heeft Martha geleerd wat ze moet doen wanneer ze droevig of bang is. Eenvoudige dingen. Dat zei haar man vaak, een voetballiefhebber: wanneer een speler uit vorm is, moet hij geen dribbels of frivole hakballetjes uitproberen. Eenvoudig spelen. Simpele passes. De bal het werk laten doen. Dan komen het vertrouwen en de vorm vanzelf terug. Dus dat was wat Martha na zijn overlijden had gedaan. Eenvoudige dingen. Elke ochtend verse koffie. Tanden poetsen. Schone kleding. Stofzuigen. Lekker koken. Goed eten. Dat hielp altijd. Eten. Ome Lex had gezegd: je bent pas eenzaam wanneer je er niet in slaagt jezelf gezelschap te houden. Hij had gelijk gehad. Ze hadden allebei gelijk gehad. De bal was als vanzelf weer gaan rollen. Rustig blijven en eenvoudige dingen doen.

Waarom hebben ze daar gisteravond niet aan gedacht? Waar zouden Billie en Lex nu zijn? Ze zullen wel honger hebben.

Het onweer was al met al onverwacht gekomen. De zinloze zoektocht door de tuin werd bruusk afgebroken, iedereen verrast door de snelheid waarmee de hemel dichttrok en de zon verdween. Martha en de Weduwe waren de enigen die het droog hadden gehouden. Nog voor de eerste druppel de grond raakte, waren ze het huis in gelopen, met haastige passen, hun ogen gefixeerd op de theemok in hun handen.

Daarna was het water beginnen te vallen, in strakke, harde stralen, als uit een douchekop in massagestand. De anderen volgden even later, een voor een, rillend, zuchtend, gilletjes slakend. Dirk en zijn vader waren de laatsten, doorweekt.

'Hij stond bij het spoor.' Dirk trok de wenkbrauwen op naar Hilde en zuchtte. 'Het hek was open.'

'Het hek was open?' Hilde verstrakte. 'Hoe lang al?'

Dirk boog het hoofd. 'Verdomme, hè. Dat gebeurt mij nooit. Allez, dat gebeurt mij toch nooit?' Hij keek op, zoekend.

Martha had gezien hoe Hilde met haar vuist achter haar rug in de stof van haar rok greep. Haar vingers waren wit.

'Vorige week. Vorige week waart ge het ook vergeten.' Er zat een vreemde siddering in haar stem, een nauwelijks hoorbare boventoon – een kwade geest die bezit nam van haar woorden.

Dirk greep met één hand naar iets onzichtbaars in de lucht.

Het begon als een laag, gesmoord geluid dat van diep in de zee leek te komen, alsof haar strottenhoofd de uitgang vormde van alle oceanen. Het wrong zich, vervormd door de watermassa en de afstand, tussen haar op elkaar geperste lippen, die krampachtig weerstand boden, zoals ook haar wimpers en oogleden tegen de tranen vochten als een dam tegen de zondvloed. Het hield veel langer aan dan een mens zonder zuurstof kan en het werd dun, hoog, ijl en scherp en zakte dan weer in, verwerd opnieuw tot gekreun, zompig als modder. Hilde was op haar knieën gevallen met haar armen op haar borstkas, haar handen tegen haar hals gedrukt, alsof ze ging stikken, haar hoofd voorovergebogen, en haar handen lieten haar hals los, vielen op de tegels als in een smeekbede en het geluid zwol weer aan, werd weer hoger en scherper, en dan weer lager en dieper en donker, in lange, klagende golven. Zoals walvissen zingen.

De dikke muur van spanning die ze de voorbije uren had opgebouwd met elke spier en pees in haar lijf brak. Alles in haar liet los en gaf op. Het geluid kreeg vrij spel en ontaardde in een orkaan van tranen en gehuil die de kamer vulde tot aan het plafond.

Martha ziet haar nog liggen: spartelend, stampend, schreeuwend.

De familie verzamelde zich om haar heen, als ramptoeristen tegen wil en dank. Dirk knielde naast haar neer, probeerde haar aan te raken maar ze sloeg hem, ze sloeg hard, ze krabde naar hem als een wilde kat en hij deinsde terug, liet zich de hand van de Militair op zijn schouder welgevallen, de Militair, die de lippen tuitte en knikte.

Het duurde lang en de klanken van haar stem reikten verder dan hun ogen konden zien. Het onweer geselde het huis en de tuin, lichtflitsen wierpen zwarte schimmen de kamer in, over Hilde heen. Er weerklonk een luide knal, een enorme explosie van geluid, die iedereen deed schrikken, om zich heen liet kijken alsof de storm de kamer was binnengedrongen.

Het werd stil. Hilde lag op de grond, uitgestrekt, haar wang tegen de grond gedrukt en met haar tranen rolden ook haar laatste krachten uit haar starende ogen, geluidloos, op de vloer. De vulkaan doofde. Lava verspreidde zich over het omringende gebied als bewijs dat het allemaal echt gebeurd was.

Martha knielde neer bij Hilde, nam haar hand, streek door haar haren.

'Sssst. Kom, kom.'

Hilde kwam langzaam overeind en Martha sloot haar in de armen. Hilde verstopte haar gezicht in haar hals als een baby en Martha voelde hoe de tranen naar beneden liepen, in haar blouse, langs haar borsten, zoals vroeger.

Thomas bracht een glas water. De Weduwe stelde voor om koffie te zetten. 'We moeten allemaal bedaren.' Ze leek er zin in te hebben.

Ze waren samen naar haar kamer gelopen, Hilde schuilend onder Martha's arm, haar hoofd tegen haar boezem. Met kleren aan was Hilde in bed gekropen. Ze kalmeerde, en sloot de ogen, uitgeput door haar verdriet. Daarna was Martha terug naar de woonkamer gegaan.

Iedereen was stil. Vanuit de keuken kwam het gerinkel van glazen en borden, af en toe het zinderend geklingel van een pan die tegen de waterkraan stootte. Tante Corry en de Thaise Bruid van Nonkel César hadden zich aan de gebeurtenissen onttrokken en een bezigheid gevonden in de afwas. Buiten verloor het onweer aan kracht en de helse bui van daarstraks was nu niets meer dan een laf gemiezer. Af en toe liep Tante Corry met een handdoek om haar hoofd naar buiten om de tafels verder af te ruimen. Met een dienblad vol servies stommelde ze de keuken weer in en zei: 'Zo, we kunnen weer efkens voort.'

Eenvoudige dingen doen.

En opeens stond ze midden tussen hen in. Haar ogen blonken, als het lemmet van het keukenmes dat ze in één hand hield. 'Ik ga snijden,' riep ze. 'Ik ga zélf snijden.'

De familie verstijfde alsof iemand hen onder schot hield. Het kind keek om zich heen en begon te lachen terwijl ze met het mes zwaaide. Het was benauwd in de kamer. De zomerse warmte had zich samen met de familieleden ijlings teruggetrokken in het huis toen het onweer losbarstte en vermengde zich nu met de geur van menselijk zweet dat de alcoholresten uit hun lijven verdreef.

'Maar schattebout toch,' had Martha gezegd. 'Dat is niet voor kindjes.'

Isabelle keek naar Thomas, die achter het kind stond en haar omzichtig besloop, om geen onverwachte bewegingen te veroorzaken. Snel en rustig greep hij de vuist waarin ze het mes vastklemde en nam het lemmet met zijn andere hand tussen duim en wijsvinger terwijl hij zei: 'Allez, luister maar naar Oma. Dat is niet voor kindjes.'

Het kind keek naar hem op en sloeg de ogen weer neer, waarna ze losliet.

Simon zei: 'Ene dooie is genoeg,' en sloeg meteen zijn hand voor de mond. Iedereen ontspande en keek elkaar lacherig aan.

Martha was aan tafel gaan zitten. De Weduwe had een vers kopje thee gebracht. Nonkel César en Simon hingen op de bank, de koffie stond onaangeroerd op de salontafel.

De kinderen zaten op de grond voor de televisie, waar ook Isabelle en Thomas zich hadden neergevleid, naast elkaar. De vrouw van de Militair stond achter hen, recht, haar armen voor de borst gekruist als een agent.

Dirks vader ijsbeerde door de kamer, zijn gezicht trok samen in duizend plooien en ontspande weer wanneer hij zuchtend uitademde.

'Ziedewelziedewelziedewel.'

Dan hield hij weer halt, plots, stak zijn vinger omhoog naast zijn oor, en vertrok weer. Van de keuken, langs de eettafel naar het televisietoestel en terug.

'Pa,' zei Dirk. 'Stopt daarmee. Ge loopt door de kamer als een wild dier.'

Op de bank stak Nonkel César zijn hand op als een dronkenman die nog een laatste consumptie wil bestellen.

'Wist ge dat al die beesten depressief zijn? In de zoo?'

'Pa, ik breng u naar huis. Ge moet kalmeren,' zei Dirk. Hij wees de Militair aan.

'En gij. Gij gaat de politie bellen.'

De Militair zweeg. Dirk nam zijn vader bij de arm. Even later het geluid van een auto, buiten, op de oprit, daarna de motor die ronkend in de nacht verdween.

Op televisie was het journaal begonnen. De hele familie verzamelde zich rond het toestel, alsof ze verwachtten zichzelf te zien.

Voor een groot, voornaam gebouw, ergens in de stad, werden drie vrouwen geïnterviewd. Ze waren in het wit gekleed, als oude engelen. Eentje sloeg onafgebroken kruistekens. De tweede hield een groot bord recht dat haar bijna volledig aan het zicht onttrok: een fotocollage van de verdwenen meisjes. De camera zoomde in op de beelden, uit korrelige pixels samengesteld, genomen op school, of thuis door de meisjes zelf gemaakt met een webcam om op hun internetprofiel te posten; roze behangpapier op de achtergrond, een lok haar die sensueel langs hun wangen streek, mascara aangebracht op veel te jonge wimpers.

De derde vrouw stond met norse blik de journalist te woord. Ze leek niet droevig, eerder kwaad. Stonden ze daar om aandacht voor die meisjes te vragen, of om hun eigen angsten te rechtvaardigen? Martha wist het niet. De reporter sprak van een signaal. Hij leek zelf niet goed te weten voor wie dat signaal bedoeld moest zijn. Hij keek van de camera naar de vrouwen, alsof hij hoopte dat de geheimzinnige ruis die zij hoorden en waaraan ze het kwaad toegeschreven, nu eindelijk zichtbaar zou worden, zwevend boven hun hoofden.

De ruis. De ruis was een tijdje uit Martha's hoofd verdwenen maar nu dacht ze er weer aan, als aan een onbereikbare liefde. Haar gedroomde deus ex machina. Nonkel César had haar niks meer gevraagd en de snelle opeenvolging van gebeurtenissen leek de gedachte aan Ome Lex ook bij de anderen te hebben verdreven. Maar dat was slechts uitstel, dat wist Martha wel. Het duurde lang.

'Allez, dat ziet er gezellig uit,' zei Simon.

De Kabouter was de enige die geen acht sloeg op de televisie. Hij bestudeerde zijn camera. Zo gaat het altijd, dacht Martha. Er is er altijd eentje die kalm blijft, altijd eentje die niet bang is of zijn eigen angst vermomt in enthousiasme, alles razend interessant vindt, en weigert in het verdriet te delen. Als het einde van de wereld daar is, zal hij nog foto's maken om later te kunnen laten zien aan de kleinkinderen.

'Aha!' zei de Kabouter terwijl hij het weergavescherm van zijn toestel bekeek.

Eerst keek niemand om.

'Waar is Ome Lex eigenlijk?' vroeg de Kabouter.

Eindelijk, had Martha gedacht.

Martha en de Weduwe kijken uit het raam en drinken koffie.

'Waar zouden Billie en Ome Lex nu zijn?' vraagt de Weduwe.

Ja. Waar? Martha zucht. Ongeacht hoe waakzaam een moeder is, uiteindelijk kan ze haar kind niet beschermen.

In Hildes wanhoop had Martha haar eigen angsten herkend, tot leven gekomen in de schoot van een andere moeder. Het gefluister dat haar al die tijd had achtervolgd en tot waakzaamheid had aangespoord, had nu haar dochter besprongen als de duivel. Martha had het spiegelbeeld van haar eigen schrik gezien.

Niemand kan leven in een wereld zonder verdriet, zonder écht verdriet.

Martha had Hilde toegedekt en met haar duim een kruisje op haar voorhoofd getekend, zoals vroeger.

'Ge moet proberen wat te slapen. Het is een lange dag geweest. Iedereen is moe. We kunnen nu toch niet veel doen, Billie is geen kind meer. Dat komt allemaal klaar.'

Het zijn dingen die vaders zeggen, bedenkt Martha nu.

Ze zijn allemaal zwak. En dat ze hier samen zijn, maakt hen vreemd genoeg niet sterker. Ze zijn machteloos. En het is haar schuld. Het was niets meer dan angst die hen verbond. Waarom heeft ze dat nooit gezien? De vrees voor iets wat natuurlijk niet zou gebeuren, die hield hen samen. Maar nu wordt die vrees ingelost, als een verlangen. Er blijft niks van hen over. Het brengt hen niet nader tot elkaar.

Mensen kunnen in niets zo dicht bij elkaar zijn als in angst en verlangen. Zoals de geboorte van een kind de ouders met elkaar verbindt, en doet versmelten tot één. Niet uit liefde, niet alléén uit liefde maar omdat ze overvallen worden door de gedachte aan de dood – een angst die al onze andere angsten verplettert als een rotsblok.

'Ze hebben vast moeten schuilen voor het onweer,' zegt Martha.

2

Martha kijkt haar aan.

'Ik bedoel: wat voor man is hij?' vraagt de Weduwe.

'O,' zegt Martha. Goeie vraag. Warm. Meelevend. Wijs. Koppig. Wereldvreemd. Alleen. Zoiets? Net als zij? Ze denkt terug aan het gesprek dat ze voerden toen ze hem had gebeld om hem uit te nodigen voor het feest. Hij had chagrijnig geleken toen hij opnam. Hij ergerde zich aan een verslaggever op televisie, aan het hele gedoe rond de verdwijningen.

'Het zijn gewoon gebeurtenissen,' had hij gezegd. Dat was het leven, dat soort dingen gebeurden nu eenmaal – hij hield allang geen rekening meer met de tussenkomst van een hogere macht. Als God kon praten, dan zouden we Hem toch niet kunnen verstaan, zei hij dan. Hij kon hard zijn. Hard.

'Hij zou nooit iemand kwaad doen,' antwoordt ze. De Weduwe knikt, beweegt dan haar hoofd in de richting van de woonkamer.

'Straks worden ze wakker.'

'Ja,' zegt Martha. 'Dat moet een keer gebeuren.'

De Kabouter had zijn camera in de lucht gestoken en liet de anderen het scherm zien. Een foto van Ome Lex, lachend aan de piano, met in zijn rug de zon, hoog aan de hemel. Zijn lichaam en gelaat donker, zijn ogen en tanden wit.

Het was alsof de Kabouter twee blote stroomdraden tegen elkaar had gehouden en alras sprongen de vonken door de kamer in de vorm van uitroepen en vragen. De mannen die 'Aha!' riepen, de vrouwen die hun handen voor de mond sloegen, de kinderen die overeind kwamen en weer terug naar de televisie werden gestuurd. Martha had er niks van begrepen. Kwamen ze echt nu pas tot het volle besef dat Billie wellicht sámen met Ome Lex was verdwenen?

Thomas maande de Militair met priemende vinger dat hij de politie moest bellen, zoals Dirk had gevraagd. Nonkel César en Simon riepen dat het hen niks verbaasde, dat ze het hadden kunnen weten, dat zij het al die tijd geweten hádden maar ja. Tante Corry kwam uit de keuken en kwam erbij staan, haar armen om zichzelf heen geslagen.

De Weduwe had de hele tijd consequent bijgeschonken en met elke mok thee was Martha droeviger en kwader geworden. Martha hield er niet van wanneer mensen schreeuwden. De kamer was er te klein en te warm voor. Wat zijn we toch aan het doen, had ze gedacht. Als we zwijgen zijn we vervelend, als we praten maken we onszelf belachelijk.

'Toch raar dat ze dan niet efkens bellen, hè,' zei Tante Corry. Dat was waar. De werkelijkheid trok zich niks van hen aan.

'Ik heb zijn gsm-nummer,' had Martha toen maar gezegd.

'En dat zegt ge nu?' vroeg Simon.

Alles viel stil. De Militair nam de hoorn van de haak. Iedereen keek elkaar aan, onderzocht elkaars gelaatstrekken, probeerde te zien hoe bang ze verondersteld werden te zijn.

Even later kwam Dirk thuis. Hij vroeg hoe de zaken ervoor stonden, alsof hij op zijn werk arriveerde.

De gsm van Ome Lex had uitgestaan.

De politie had gezegd dat ze moesten wachten. Tot de ochtend. Dat ze veel telefoontjes kregen de laatste tijd, dat het meestal gewoon goed kwam. De agent van dienst had vermoeid geklonken.

Dirk zuchtte.

'Ik zat nog te denken,' zei Nonkel César en hij wees naar het televisietoestel. 'Misschien kunnen we de gazet bellen.' Hij zei het als een leerling die in een goed blaadje wil komen bij de leraar. Dirk hapte gretig toe en rukte de hoorn uit de handen van de Militair, zonder hem een blik te gunnen, terwijl hij Nonkel César wees op de telefoongids die onder de salontafel lag.

Heel even leek het alsof er gerichte actie werd ondernomen. Nonkel César liep met de feesttoeter in de hand langs de pagina's van de gids, op zoek naar relevante media. Ook Simon kwam tot leven, haalde zijn telefoon weer uit zijn zak, hield hem met beide handen horizontaal voor zich uit en liep zo door de kamer tot hij een plek had gevonden, en ophield met vloeken. Driftig duwde hij met zijn twee duimen op het scherm. Gedurende een minuut of tien, vijftien hooguit, leken ze zich in een controlekamer van een crisiscentrum te bevinden, korte bevelen en nummers naar elkaar schreeuwend, de indruk wekkend dat het om een behapbaar probleem ging dat middels de juiste maatregelen in geen tijd kon worden opgelost. Er ontstond lichte opwinding in de kamer, iedereen keek naar elkaar met hoopvolle blikken: ze gingen er wat aan doen.

Dirks stem aan de telefoon werd ongeduldiger en luider met elke nieuwe zuchtende receptioniste of redacteur-met-weekenddienst die hij aan de lijn kreeg.

'Nee, ze is niet alleen, nee.'

'Haar oom.'

'Maar hij is *hare nonkel* niet!'

Hij schudde zijn hoofd met korte nijdige schokken terwijl hij op dreinende toon de antwoorden herhaalde die hij kreeg.

'Nee meneer, ik zal uw melding noteren, meneer, maar ja, ze is niet alleen hè meneer, wij wachten nu achtenveertig uur voordat we er iets mee kunnen, meneer, we krijgen zoveel meldingen tegenwoordig, meneer, meestal is er niks aan de hand, meneer, we zijn wat voorzichtiger geworden, meneer.'

'Weet ge wat het is,' zei Nonkel César. 'Ge moet mensen kennen. Wij kennen daar niemand. Dat is allemaal ons-kent-ons.'

'Ah ja, ah ja?' Dirk wees naar het televisietoestel. Er werd een landkaart getoond, waarin ze kleine foto's van de verdwenen meisjes hadden gemonteerd op de plekken waar ze voor het laatst waren gezien. 'En dat dan? Is dat ook ons-kent-ons?'

Het werd stil.

'Of is het maar voor de show misschien? Omdat het zomer is? Omdat ze anders niks te doen hebben. Hé? Hé? Hey!'

Niemand durfde te antwoorden.

'Is het al gewoon misschien? Verdwijnen er nu ineens te véél? Hebben ze al genoeg verdrietige papa's en mama's? En die domme wijven met hun oehoehoehoe...' Dirk speelde met zijn vingers in de lucht alsof hij een kind bang wilde maken. '... mysterieuze ruis. Flauwekul. Beseffen ze niet wat wij hier meemaken? Zijn we vervelend misschien? Dat zijn we, saai! Niet meer interessant. Hadden ál onze kinderen moeten verdwijnen? Awel sorry, maar ik heb er maar eentje. Ik héb maar één kind en ik heb er godverdomme hard voor moeten werken ook. Is dat het? Is dat het misschien? Telt het alleen als het van uw eigen is? Awel sorry, maar ik heb die van mij gekocht. Gekocht ja! Is het geen goeie *marchandise*? Awel sorry, maar mijn machinerie deed het niet meer. Kapot. Inferieure kwaliteit meneer! We hebben alles geprobeerd. En ge krijgt er geen garantie op hè, dat blijkt nu wel.'

Doodsbleek. Hij ziet doodsbleek, had Martha gedacht. Iedereen keek weg, of naar de grond.

'Allez? Waar zijn ze nu? Met hun camera's?'

Zijn stem werd zachter, verloor kracht. Dirk ging zitten.

'We zitten hier maar. Alsof we in quarantaine zijn geplaatst. Alles waar ik voor heb gewerkt wordt kapotgemaakt door die idioten. Nee, straks komt ze wel thuis, meneer. Ze is wég, ja. Met...' Hij stak zijn hand op naar Martha. 'Sorry dat ik het zeg maar: met 'n ouwe zak waar wij niks over weten. Wat weten wij eigenlijk van die mens? Hè? Behalve dat hij het goed kan uitleggen dan. Hij kan het schoon zeggen. Ja. Dat klopt.'

Martha zweeg. Ze zag zijn ware aard bovenkomen, uit zijn tent gelokt, eindelijk onbeheerst, als in een oorlog. Familie ís oorlog. Na verloop van tijd wordt alles surrogaat.

'Plezant hè. Zo een beetje onuitgenodigd op bezoek komen en de plezante uithangen. Was die vroeger ook al zo? Wat kwam die eigenlijk altijd doen bij jullie thuis? Ge hebt 'm toch nooit alleen gelaten met Hilde, hè?'

'Genoeg,' zei Martha. 'Genoeg. U kent Ome Lex. Iedereen hier aanwezig kent Ome Lex. Het is een goed man.'

Traag, langzaam, met zachte stem uitdrukkelijk articulerend beleefde zinnen uitspreken. Dat was hoe Martha schreeuwde.

'Sorry,' zei de Militair. 'Maar wij nemen geen risico. Het is laat.' Zijn handen rustten op de hoofden van zijn zonen. Hij sprak zacht en speurde de kamer af zonder iemand aan te kijken, alsof hij verwachtte dat de dreiging elk moment vanachter een bank of kast tevoorschijn kon springen, als een spook. Zijn vrouw stond naast hem, hun jassen in de armen.

Niet veel later verlieten ook Tante Corry en de Kabouter het huis. Zij zenuwachtig excuses prevelend, een plastic kist gevuld met afgewassen servies in haar armen. Hij met tegenzin, alsof hij al spijt had van alle dramatiek die hij niet zou kunnen fotograferen.

Simon en Nonkel César zonken neer in de zetel.

'Zullen wij wel hier blijven,' zei Simon. 'We zijn hier nu toch. Uiteindelijk zijn we één familie.'

Nonkel César knikte. Isabelle bracht het kind naar boven. Thomas liep met haar mee om het logeerbed op te zetten. De Thaise Bruid zat op een stoel aan de eettafel. Ze deed niets.

'Ja, mensen,' zei Nonkel César. Hij stak de kapotte feesttoeter in zijn mond en blies erop. Een korte, lage toon, zoals wanneer iemand op televisie een quizvraag fout beantwoord heeft.

Martha glimlacht flauw naar de Weduwe, en loopt de keuken uit, naar buiten, het terras op. Ze heeft lucht nodig. Frisse lucht. Maar de lucht is allesbehalve fris. Het onweer heeft de temperatuur buiten nauwelijks tot bedaren kunnen brengen. Hoe laat is het nu? Een uur of vijf, halfzes? Normaal gezien het koelste moment van de dag, maar nog steeds lijkt de wereld in een warme, vochtige sluier gehuld. Ze loopt over het terras naar de zijkant van het huis. Door het raam ziet ze Simon en Nonkel César zitten op de bank, nog altijd in dezelfde positie als daarstraks. Ze bekijkt hen zoals een vrouw een etalage kan bekijken. Ze gaat de hoek om, houdt even halt ter hoogte van de sensor die bij de dakgoot hangt, trekt haar mond scheef, loopt traag verder, in de richting van het hek, dat nu gesloten is. Ze kijkt naar de lucht, het blauw dat door het zwart begint te schemeren. Het wordt opnieuw warm vandaag. Ze hebben het gezegd.

3

Martha grijpt de tralies van het hek vast. Ze tikt met haar ring – twee in elkaar gedraaide strengen goud – tegen de spijlen. Ze denkt aan Thomas, Isabelle, het kind. Dirks vader, zijn zonen, de Weduwe die in de keuken opgewarmde koffie drinkt. De geheimen die ze met hen deelt. Samen delen. Je moet samen delen. Dat had ze altijd tegen haar kinderen gezegd.

'Ja maar, mama,' had Thomas daar als kind ooit op geantwoord. 'Als je samen deelt, dan heb je minder.' Martha glimlacht. Kom aan, Ome Lex. Nu is het moment.

Wat hadden ze fout gedaan? Martha denkt terug aan de zoektocht door de tuin. Sommigen hadden fanatiek gezocht, in hoog tempo alle mogelijke schuilplekken gecontroleerd alsof Billie ergens onder een struik of achter een heg verborgen zou zitten, en hen al die tijd als een kat had bespied. Anderen liepen machteloze rondjes, in laag tempo, alsof ze meededen voor de vorm, uit beleefdheid. Isabelle wandelde met het kind aan haar hand langs de bloemenperken, die vanaf het gras tot aan het hek liepen. Ze liet haar dochter meedoen met wat gebeurde. Alle kinderen willen altijd meedoen. Uren daarvoor, vlak voordat ze

aan de liedjes gingen beginnen, had een snerpende klaagzang iedereen doen opveren. Het kind zat hartverscheu-
rend te schreien in het gras, met schokkende schouder-
tjes, terwijl dikke tranen over haar wangen haar eigen
mond in liepen. Martha had gezien hoe Nonkel César weg-
sloop, met die feesttoeter in de hand, een vergoelijkende
grijns op zijn gezicht. Ome Lex was naar het kind gelopen
en had met zijn grote handen over haar blonde krullen ge-
streken als een reus. En dan, alsof hij een heel erg goed idee
had, had hij zijn wijsvinger in de lucht gestoken en zijn
wenkbrauwen opgetrokken zo hoog hij kon.

Het kind had hem aangekeken, verwonderd over hoe hij
met zijn andere hand in de binnenzak van zijn colbert
wroette, er een stapeltje papier uit trok, en een dikke stift
in haar handje duwde. Haar gedrein werd een schaterlach,
zoals dat alleen bij kleine kinderen kan – als bij toverslag.
En nog voor de laatste tranen van haar wangen waren gelopen, en door het papier waren geabsorbeerd, het papier
waarop plots een walvis met vleugels tussen wolken vloog,
waren de andere kinderen vanuit alle hoeken en gaten tevoorschijn gekomen. Alsof hij een goedaardige versie van
de rattenvanger van Hamelen in hoogsteigen persoon was.
Iedereen had een tekening gewild en Ome Lex had zijn
best gedaan, was op zijn best geweest, zoals vroeger. Alleen
Billie had niet meegedaan. Ze stond in de entree van de
moestuin te kijken, helemaal stil, als een Mariabeeld in
haar nis. Ze is er te oud voor, had Martha gedacht. Jammer.
Ze is er net te oud voor, zoals ze voor andere zaken te jong
is. Het is een moeilijke leeftijd.

Thomas was bij Martha komen staan, zijn arm om haar
schouders, en zo hadden ze samen gekeken naar een van
hun favoriete herinneringen. Thomas was een goeie jongen. Een veel te goeie jongen.

Daarna had Hilde, die bij de piano stond, luid geroepen dat ze gingen beginnen. En niet één keer. Ze bleef het roepen. Hard en schel.

'Hebt ge flink dank u wel gezegd, schat?' vroeg Isabelle aan het kind, dat haar tekeningen toonde.

'Dank u wel, Ome Lex.'

Ome Lex nam haar hoofd tussen zijn handen, als een bal, en gaf haar een zoen op haar neus. Ongelofelijk, had hij gezegd toen hij weer naast Martha was gaan zitten. Ongelofelijk hoe ze op Thomas lijkt.

Simon had het gehoord, was beginnen te lachen. 'Jaja, dat bewijst maar weer eens hoeveel uw soort van kinderen af weet. Hey Thomaske, geef die bril 'ns aan Ome Lex!'

Daar had Ome Lex niet op gereageerd. Martha vroeg zich af hij zich had vergist. Isabelle zei: 'Ze lonkt naar iedereen.' Ze haalde glimlachend haar schouders op.

'Heeft ze van haar moeder,' zei Simon. 'Bij haar is het nog onschuld.'

Waarom moest hij toch altijd reageren? Waarom deed hij dat? Ze had altijd gevonden dat Isabelle beter bij Simon paste, dat hij het harder nodig had, maar nu voelde ze medelijden, schuld. Een wrede moeder. Bij de vijver liep Thomas, alleen, een glas in de hand.

Martha dacht aan de brieven. Hoeveel waren het er geweest? Veel. Thomas' naam in sierlijke letters op de enveloppen geschreven. Enveloppen die Isabelle vaak zelf had gemaakt, van uit modetijdschriften gescheurde pagina's waarop mooie, jonge mensen stonden, romantische beelden, maneschijn, idyllische landschappen, bloemen. Reclames voor parfum of kleding, geplooid en gelijmd om een puberliefde te verpakken.

Thomas was te jong, had Martha gevonden. En Isabelle was te mooi. Dat kon niet goed zijn voor zo'n jongen, haar jongen. Hij was niet sterk genoeg. Hij moest beschermd worden.

Op de achterzijde van de enveloppen stonden vaak noodkreten als 'Schrijf snel terug! Ik kan niet wachten!' of aanwijzingen voor de postbode. 'Niet kreuken. Zit een foto in!'

Maar Thomas had niet teruggeschreven. Niet bij haar weten. Niet als zij er iets aan had kunnen doen. Jaren later had Simon Isabelle alsnog de familie binnengebracht. En nu liep ze hier rond, met een kind aan de hand dat op Thomas leek. Als een verwijt. Ome Lex had gelijk. Ze was wreed geweest.

Daarna waren ze begonnen met de liedjes aan de piano en was alles gegaan zoals het was gegaan. Alsof Ome Lex zichzelf had teruggevonden zoals hij vroeger was, wilde bewijzen dat hij het nog kon, en alles wat hij die middag had gezien uit wilde wissen, niet alleen uit zijn hoofd, maar ook uit de hoofden van alle anderen. Hij had een spektakel neergezet, daar aan de piano, alsof hij had aangevoeld dat er niks meer te redden viel, dat tijdelijke afleiding het maximaal haalbare was.

Wat is er toch gebeurd? Martha kan zich niks voorstellen. Ome Lex was een goed man, altijd strijdend voor liefde en eerlijkheid. Maar ja. Hoeveel bedriegers zijn ervan overtuigd dat ze altijd eerlijk zijn?

Na het vertrek van de Militair, en Tante Corry, was Martha op de bank gaan zitten, tegenover Simon en Nonkel César, die de ogen nauwelijks nog open konden houden. De Thaise Bruid zat aan de tafel, samen met de Weduwe. Isabelle en Thomas waren nergens te zien. Vanuit de kamer van Dirk en Hilde kwam zacht gemompel, treurige geluiden, daarna werd het stil. Hier zitten we, dacht Martha. Samen herinneringen te maken. Ze was zo moe geweest. De lampen aan het plafond smolten tot het helemaal donker was geworden.

Martha duwt haar neus tussen de tralies van het hek. Ze voelt het metaal tegen haar wangen drukken wanneer ze haar hoofd draait. Er komt een fietser aan, een wielrenner, op hoge snelheid flitst hij langs haar heen. Ze volgt hem met haar ogen. Fietsen. Ze heeft altijd graag gefietst. Vroeger, bij mooi weer, zoals vandaag, maar minder warm, dan namen ze de fiets en reden het dorp uit, de weiden in, haar man en zij. Urenlang dwaalden ze door de velden en landerijen. Op de terugweg reden ze altijd langs dezelfde boerderij, een slecht onderhouden hoeve waar een oud echtpaar tomaten en sperziebonen teelde. Het grootste deel van hun land hadden ze al lang geleden verkocht, maar rond de boerderij hadden ze nog een paar lapjes grond waar ze met liefde groenten kweekten. Ze herinnert zich dat toen haar man ziek was geworden, ze op een dag de auto hadden genomen om sperziebonen te gaan halen. De boerin had hen bediend, rustig en kordaat als altijd. Toen ze weer instapten, bleef ze naast de auto staan en ze keek de echtgenoot van Martha aan alsof ze haar blik in hem wilde graveren.

In de maanden daarna ging het snel. Ademen werd hijgen. Hijgen werd zwijgen.

Pas enkele jaren later zocht Martha de boerderij weer op, alleen, met de fiets.

'Vorige keer waart ge hier met uw echtgenoot,' had de boerin gezegd.

'Ja,' had Martha geantwoord. 'Die is twee jaar geleden overleden.'

'Ik zei nog tegen mijn man: die komen hier niet meer terug.'

'Ja,' had Martha gezegd. 'Maar hier ben ik dan toch.'

De boerin had haar geholpen en nadat Martha haar fietstassen had volgeladen, fietste ze weg. Net voordat ze het erf af reed, had de boerin haar nageroepen: 'Ge zijt er niet magerder op geworden.'

Martha moet lachen nu ze eraan denkt. Ze had het aan Ome Lex verteld. Die had ook moeten lachen. Hij maakte altijd grapjes met haar. Vanmiddag nog, toen ze het over de ruis hadden gehad.

Eerst had hij gezegd: 'Martha, dat kan je toch allemaal niet ernstig nemen. Jij bent ouder dan die vrouwen. Dan moet je ook wijzer zijn.' En meteen daarna voegde hij er haastig aan toe: 'Niet dat je er oud uitziet, hoor. En zo jong van geest. Voor mij ben jij nog altijd dat meisje dat ik nooit ben tegengekomen.' De charmeur. Dat kon hij ook zijn. Ze was blij geweest dat hij had willen komen, ook al hadden de zaken schijnbaar anders uitgepakt, haar vertrouwen was groot. Vertrouwen groeit op een bed van herinneringen.

Nu staat ze hier, te wachten om de vruchten te plukken. In de verte klinkt het zachte gedonder van een naderende trein. De wielrenner is uit beeld verdwenen. Ze hoort iets. Iets anders. Eerst nog stil, wind die met bladeren speelt, maar al snel wordt het geluid fijner, duidelijker, speels. Een twinkeling die langs haar slapen loopt, een vreemde elektronische pulsering die om haar hoofd danst als een wesp. Martha betast haar gezicht, kijkt omhoog, om zich heen, en langzaam wordt het geluid ritmischer, regelmatig, komt het dichterbij. Schoenen op asfalt.

Maar dan klonk een stemme krachtig
over 't oude Noordzeestrand
en het stormde groots en machtig...

Het zijn de zonen van de Militair. Ze staan naast de piano. Hun ijle jongensstemmen schieten als vuurpijlen door de lucht. Hun handen achter de rug, tot vuisten samengebald. Hun hemden, bruin en stoer, getooid met insignes van glinsterende stof, strak in fluwelen broeken weggestopt. De jongste heeft een natte vlek ter hoogte van zijn heup – daar had hij wat chocoladeijs gemorst. Hun moeder heeft hun dassen strak om hun nekken geknoopt. Ze kijkt gespannen toe, zoekt oogcontact met de andere familieleden, die in een halve cirkel om de piano zitten.

Simon stampt het ritme mee. Zijn rechtervoet plet het gras. Hij legt zijn hand op zijn hart en spant alle spieren in zijn gezicht, trekt zijn mond geluidloos open en dan weer dicht, alsof hij het lied gepassioneerd meebrult. Hij stoot Nonkel César aan, die op slag inhaakt en gebaart dat ze eigenlijk rechtop zouden moeten staan. De Militair glimlacht en kruist zijn armen voor zijn borst.

Op ons vane vliegt de Blauwvoet,
die voorspelt het zeegedruis...

Het kind zit bij Isabelle op schoot. Ze heeft haar liedje al gezongen: 'Olifantje in het bos'. Of beter: het kind verstopte zich in de boezem van haar moeder, die het lied zong, en af en toe loerde ze naar het publiek, en fluisterde een woordje mee.

Thomas had hen glimlachend gadegeslagen. Denkend aan oude dromen. Hij dacht aan de brieven die hij had geschreven, lang geleden, en waarop hij nooit een antwoord had gekregen. Hij heeft er nooit iets over durven zeggen tegen Isabelle. Hij wil niets kapotmaken, hij wil nog liever niets kapotmaken dan krijgen wat hij wil. Net als iedereen. Het is zijn geheim, het zit in hem als een noodkreet in een fles die door de stroming en golven van de zee wordt voortgedreven tot ze aanspoelt op het strand, en gevonden wordt – een trofee voor spelende kinderen.

Martha buigt zich naar Ome Lex toe.

'Zo is het de beurt aan Billie.'

Ome Lex kijkt om zich heen. Er barst applaus los. Hilde komt naar voren en geeft de beide broers hun cadeautje. Wie een act opvoert, krijgt een cadeautje. Het is elk jaar iets anders en dit jaar is het een aluminium sleutelhanger in de vorm van de letter waarmee de voornaam van het kind in kwestie begint. De broers rennen naar hun ouders en laten de sleutelhanger zien.

'Waar is Billie?' vraagt Martha. Ome Lex staat recht. Iedereen heeft zich rond de piano verzameld, de rest van de tuin is leeg, als een strijdveld achtergelaten.

Hilde richt zich tot de hele familie en zegt: 'Nu is het aan ons Billie.' Dan ziet ze Ome Lex. 'Of wilt gij een liedje spelen, Ome Lex?'

Iedereen begint te lachen en te joelen. Simon en Nonkel César stampen op de grond.

'O-me Lex, O-me Lex!'

Ome Lex steekt zijn beide handen op alsof hij een ruzie tot bedaren wil brengen. Hij kijkt achter zich, naar het huis. Daar is het toilet. Dan trekt Hilde de pianostoel vanonder het klavier en gebaart dat hij moet gaan zitten. Verzet is zinloos. Dirk heeft zich bij Simon en Nonkel César gevoegd en ook Thomas moedigt hem aan. Hij is blij dat Ome Lex er is. Op gelegenheden als deze is hij blij met elke bliksemafleider – en dat was altijd al de functie van Ome Lex. Als hij er was, werd het interessant of alleszins niet zoals gewoonlijk. Dat kwam door de tekeningen, uiteraard. En de riedels die hij op de piano speelde, vooral dat ene liedje uit de Muppet Show. Maar ook de manier waarop hij altijd rustig rondkeek en de dingen overzag. Het was dan alsof Thomas er zelf een paar ogen bij kreeg en alles kon zien zoals het werkelijk was in plaats van er deel van uit te maken. Zo lang hij zich kan herinneren, haat hij familiefeesten. Hij voelt zich er alleen, opgesloten in een groepscel met mensen voor wie hij niet heeft gekozen. Hij wordt er onrustig van, gaat lopen zoeken naar een uitgang, maar loopt steeds opnieuw tegen dezelfde muren aan, blijft tegen beter weten in hopen dat de hemel zal openbreken, dat een goddelijke bliksemflits die cel onder hoogspanning zal zetten tot iedereen de verhalen die ze altijd vertellen en de grappen waar ze altijd om lachen en de ruzies die ze nooit durven voeren, vergeten is. Maar vandaag lijkt er op zijn minst íéts anders te zijn dan normaal.

Plagerig roept Thomas om de Muppetshow. Kom op, Ome Lex, zoals vroeger.

Ome Lex loopt naar voren als een terdoodveroordeelde, gaat zitten en legt zijn handen op de toetsen. De piano staat dwars ten opzichte van het publiek. Ome Lex kijkt neer op zijn handen en vingers, waarop haren groeien. Dan kijkt hij opzij, naar de familie, die nu stil is geworden en wacht.

Hij trekt zijn wenkbrauwen op, dwingt zijn lippen tot een grote, brede grijns en met een ruk zet hij zich recht, gooit zijn hoofd naar achteren en duikt dan weer naar voren, alsof hij het klavier overvalt. Zijn vingers beginnen aan een wilde rondedans. Ome Lex hoeft niet na te denken, hij hoeft helemaal niks te doen, het zijn andere krachten die hem sturen en hem dit liedje doen spelen zoals hij het al zo vaak heeft moeten spelen. Het is een schijnbaar virtuoze deun waarmee het makkelijk indruk maken is, een snel en vrolijk loopje bedoeld om feestelijkheden te openen en de toeschouwers voor te bereiden op een zinderende show, het is een melodie die de lichten doet doven en de spotlights aanzet. Het is een lied dat zegt: we gaan beginnen.

En al snel stampen de mannen met de voeten en klappen de vrouwen in de handen. Het kind springt op van Isabelles schoot en dribbelt tussen de stoelen door naar voren, tot vlak bij de piano, en daar steekt ze haar handjes in de lucht en wiegt haar bovenlichaam van links naar rechts. Ome Lex buigt zich naar haar toe, terwijl zijn handen onverstoorbaar verder over de toetsen huppelen, en trekt een gek gezicht. Het kind giert het uit en ook Ome Lex lacht hard. Seconden geleden was hij nog een stille vreemde op een feest zonder belang. Nu swingt hij als een oude nar die zijn laatste krachten bijeen heeft geraapt, zijn vakmanschap de sluier die zijn onbehagen verbergt.

Hilde legt haar arm om Martha's schouder en geeft haar moeder een zoen op de wang. Dit is hoe zij Ome Lex kent, dit is het beeld dat al die jaren in haar hoofd is blijven hangen en haar herinneringen heeft gekleurd. Stift, papier en de Muppetshow. En voor even staat Hilde zichzelf toe te ontspannen, vergeet ze de logistieke en organisatorische besognes die haar de afgelopen week uit haar slaap hielden, om van de discussies met en over Billie nog maar te zwijgen, de slaande deuren, de verwijten en het gillen dat 's nachts in haar oren door blijft trillen als een ongrijpbare echo die door het plafond heen druppelt en het gesnurk van Dirk overstemt. Dat hij kan slapen. In deze tijden. Waarin niks zeker is. Het gevaar letterlijk in de lucht hangt. Overal. Ze kan het niet begrijpen. Maar nu doet Ome Lex haar zorgen verdwijnen en zo is het Billies beurt om haar lied te zingen. Iedereen zal applaudisseren en juichen en zien hoe goed ze is en Hilde zal haar dochter in haar armen kunnen nemen en trots op haar kunnen zijn. En voor het oog van het publiek zal ook Billie haar omhelzen, haar jonge meisjeslichaam tegen haar moeder aan drukken en Hilde zal haar zwarte haren ruiken, haar smalle ogen zoenen, verlangen naar de tijd dat ze nog een peuter was, tot ook Billie zal begrijpen dat alles voor haar eigen bestwil is.

'Hij doet dat goed, hè. Mama. Zeg. Juist als vroeger, hè.'

Martha knikt.

De Militair, zijn vrouw en hun twee zonen zitten kaarsrecht op hun stoelen. Ze klappen mee, precies in het ritme, cultiveren een gedisciplineerde vorm van plezier. Tante Corry probeert mee te zingen maar ze kent de tekst niet, haar gezang niets meer dan onverstaanbaar gepiep. Soms glijdt haar stem uit, bereikt toonhoogtes die alleen honden kunnen horen. Dirk imiteert de trompet van Gonzo, veel te vroeg natuurlijk, dwars door de strofes heen, en Nonkel César begint te grommen, bootst de stem van Statler of Waldorf na, die twee oude mannetjes die op het balkon van de Muppetshow zitten te mopperen, en hij zingt hun deel van het lied terwijl hij Simon aanspoort om mee te doen.

Why do we always come here
I guess we'll never know
It's like a kind of torture
To have to watch the show

Zelfs de Weduwe kijkt glimlachend toe hoe de nonkels grommen en zingen en hoe ze met hun handen op de randen van hun stoelen trommelen om het slot van het lied in te leiden. Ome Lex moedigt hen aan met nog meer overbodige tierelantijntjes en het volume van hun woeste samenzang gaat in een rap crescendo omhoog.

De Kabouter drukt af als een idioot, sprint van links naar rechts, gaat half onder de piano liggen om hem vanuit kikkerperspectief te fotograferen met de dansende familie op de achtergrond, dan zet hij een stoel vlak achter Ome Lex en gaat erop staan, focust op zijn handen, die nog steeds vederlicht over de witte en zwarte toetsen lopen terwijl hij zelf met zijn kont heen en weer beweegt, en daardoor ziet hij niet, zoals niemand ziet, wat Ome Lex ziet.

Vanuit de keuken komt Billie het terras opgelopen. Ze daalt de helling af, loopt de tuin in. Ze slaat het tafereel bij de piano gade als een banaal verkeersongeval. Haar ogen kruisen die van Ome Lex, wiens grijns onmerkbaar verkrampt, ze zwaait naar hem, loopt door het hek de achtertuin in en verdwijnt uit het zicht, precies op het moment dat hij het slotakkoord aanslaat en zijn handen in de lucht gooit zoals concertpianisten doen.

'Formidabel!' roept Nonkel César. 'Geeft die mens zijn sleutelhanger!'

Iedereen begint te lachen, gaat nog harder lachen en

staat op om de artiest te bejubelen. Het is een schel, onont-warbaar kluwen van stembanden die hun zelfbeheersing hebben verloren, een dierlijk geloei dat zich opricht als een draak. Ook Ome Lex staat op. Hij lijkt het applaus en het gejoel niet te horen, ondergaat de staande ovatie onbe-wogen. Hij ziet alleen Martha, die hem aankijkt, en daarna zweeft zijn blik over iedereen heen naar de open poort in de muur van klimop. Daar is niks meer te zien.

'Waar is ons Billie?' vraagt Hilde, opgetogen. Niemand hoort haar.

'Pauze!' roept Dirk. De fles wijn die hij in de lucht houdt wordt omsingeld door lege glazen. De wind blaast het ge-rommel van een trein de tuin in.

'Astemblieft,' zegt Dirks vader, die naast hem staat. 'Weer ene. En gene kleine ook niet.' Hij spuwt zijn woor-den uit als een rochel.

'Het is goed, pa, 't is goed nu,' zegt Dirk. 'Het is feest.'

'Ja, ja,' zegt zijn vader en hij kijkt naar het glas in zijn hand, dat trilt.

Martha is opnieuw gaan zitten. Ze zoekt Ome Lex maar ze ziet hem niet. De Thaise bruid van Nonkel César zet zich naast haar neer.

'Is dit nu typisch?' vraagt ze.

'We doen het ieder jaar,' zegt Martha.

Ome Lex staat in de achtertuin. Billie is nergens te zien. Hij loopt behoedzaam over het wandelpad, tussen de bessen-struiken en de hazelaars door, als een jager die het wild niet wil opschrikken. De kippen drommen samen bij het gaas en kakelen nieuwsgierig. Wanneer hij het hek heeft bereikt, daar waar het weiland begint, ziet hij Billie. Ze staat stil tussen het opgeschoten gras dat haar kuiten ver-bergt en haar shirt wappert in de wind waardoor het lijkt alsof ze boven de grond zweeft, een meter of honderd bij het hek vandaan.

Ze wenkt hem. Ome Lex kijkt achterom. Hij wijst naar de tuin. Het is haar beurt.

'Wat zeg je?' roept Billie. 'Ik kan je niet verstaan.'

Ome Lex kijkt naar de schutting. Er zit geen poort of opening in. Hij staat erachter en kijkt naar Billie, als vanaf een balkon. Hij spreidt de armen.

'Klimmen!' roept Billie. 'Kom aan, Ome Lex.'

Ome Lex zet zijn handen op de dwarsbalk die de spijlen met elkaar verbindt. Onwillekeurig moet hij denken aan het koorhek in een kerk waar hij ooit diende. Je ziet ze niet zo vaak meer – ze dienen om de kerkgangers van het altaar en het koor weg te houden.

'Kom dan. Er staan allang geen koeien meer op,' zegt Billie.

Langzaam zwaait Ome Lex zijn been over het hek. Hij staat nu met één been in de weide, één been in de moestuin en zijn kruis rust tussen twee spijlen op de balk.

Billie giechelt. Ome Lex kreunt. Dan heft hij zijn andere been een beetje op, steekt zijn hand in zijn knieholte en tilt het been zo over het hek heen.

'Goed zo, Mahatsuko.' Billie zegt het zacht. Ze klapt in haar handen. Een kind. Het is nog een kind. Ome Lex wandelt naar haar toe.

'Kijk!'

Samen kijken ze uit over de eindeloze groene vlakte. Het is nu helemaal stil. Alsof ze een geluiddichte bubbel zijn in gestapt, het feestgedruis uit de tuin is verdwenen, opgelost.

'Ik mag hier eigenlijk niet komen,' zegt Billie. Ze sluit de ogen, zwaait met haar armen, maakt een pirouette, en valt. In haar hoofd vliegt een walvis door de lucht, ze ziet kleine vlammen die flikkeren op het ritme van een lied.

Ome Lex zegt dat ze beter terug kan gaan.

'Maar ik kom hier wel vaker,' zegt Billie terwijl ze, de ogen nog steeds gesloten, verder door het gras rolt en opnieuw giechelt.

Ome Lex wijst naar de tuin. Ze wachten op haar. Ze moet haar liedje nog doen.

En zo gebeurt het. Argeloos. Speels. Ze danst door het gras en Ome Lex volgt haar als een achterdochtige hond. Voor ze het weten zijn ze honderden meters verder.

Ze lopen door de weide als pioniers. Ze weten het niet maar niemand heeft deze groene steppe ooit betreden, en de horizon in de verte is niets meer dan een illusie, een droom die geen mens ooit heeft nagejaagd, bang om van de wereld te vallen.

Wat voor hen ligt is vrij van tijd en geschiedenis – ze weten het niet maar in feite lopen ze nu in de eeuwigheid.

VLIEGT DE BLAUWVOET, STORM OP ZEE

Gaandeweg de middag hebben de gebeurtenissen mij dusdanig in beslag genomen dat ik al enige tijd niet meer zeker ben of mijn oriëntatievermogen nog te vertrouwen valt. En naarmate mijn onzekerheid over de juiste richting groeit, groeit ook het besef dat een en ander een hoogst ongunstig licht op mijn persoon werpt.

Het is moeilijk te zeggen of Billie slaapt of buiten bewustzijn is. Ik weet het natuurlijk wel. Maar zo ligt ze in mijn armen: haar ogen gesloten, haar haren wilde pieken die alle kanten op schieten. Haar lichaam roerloos. Vreedzaam. Overgeleverd aan wie haar redden wil. Frappant.

En ik doorkruis deze weilanden, min of meer op goed geluk – daar moet ik eerlijk in zijn. In de verte meen ik al een tijdje een soort van heuvel waar te nemen. Een vreemde knik in de horizon. Dus daar richt ik me op, bij gebrek aan keuze.

Ze gaan mij vragen stellen. Hoe Billie in deze staat van zijn verzeild is geraakt. Waarom ik met haar ben meegegaan. Waarom ik niet geprobeerd heb om haar ervan te overtuigen dat ze terug naar huis moest. Maar hoe had ik dat moeten doen? Vanaf het prille begin volgde ik haar als een gebrekkige herder die nog geen tam lammetje bij zich kon houden. En wat kan een ouder wordende man, per definitie verdacht, dan zeggen? Wat had haar dartelende brein dan tot inkeer moeten brengen? Sterker nog, en ik weet dat dit een zeer onwenselijk antwoord is maar ik heb geen plannen om de waarheid te verloochenen: ik keek toe met genoegen. Tot nu, natuurlijk. Tot nu.

Het feest zelf vond ik moeilijk. Er hing een bepaalde energie in de lucht, als een geluid dat ik niet meer was gewend. Ik verlangde naar mijn appartement, naar mijn walvis, het licht, het water, ik verlangde zelfs naar de binnentuin, naar die groene leegte waar nimmer iets te vieren valt. Het veilige gevoel klein te zijn. Met een glaasje wijn, een sigaret, omgeven door dat betonnen beest en de geluidloze levens van andere mensen, vredig wachten. Op het feest leek het alsof ik voortdurend op moest letten, alsof iedereen om mij heen draaide, en mij gebruikte in hun eigen zoektocht naar de zwakke plekken van anderen. Het is geen excuus. Zeker niet. Maar vanaf het moment dat Billie en ik het feest verlieten, was het eigenlijk wel genieten. Het uitzicht op haar zelfverworven vrijheid was magnifiek. Die eindeloze horizonten weer van haar afnemen, en haar met een stok terug de stal in jagen – dát was pas crimineel geweest.

Nee. Ik had geen andere keuze dan haar te volgen, zo goed en zo kwaad het ging. Dus dat heb ik gedaan. En ongemerkt liepen we steeds verder weg van het hek, de achtertuin, de muur van klimop waarachter het huis schuilging. Ik maakte mij geen zorgen, al was ik licht nerveus. Toegegeven.

'Waarom rook je eigenlijk?' had Billie gevraagd.

Ik zei wat ik altijd zeg wanneer ik het niet weet. Aha.

'Het is vies.' En ze kneep haar neus dicht met twee vingers.

Ach. De meeste zaken die wij doen komen voort uit on-schuld en verveling. Mensen die niet roken, doen gewoon iets anders. En als we eenmaal zijn begonnen, dan willen we stoppen maar dat lukt niemand. Ook mensen die stop-pen met roken, blijven hun hele leven naar de stank ver-langen. Onze grillen hebben geen kind aan onze ratio. Neem nu het geloof. Ik converseer nog elke dag met God. Niet omdat ik nog in Hem geloof, maar omdat ik het geloof verloren heb. Ik heb het bestudeerd. Geanalyseerd. Ont-manteld als een explosief. Maar ik blijf omzichtig op mijn tenen lopen, ik hou de metaaldetector voor me uit in de richting waarin ik wil gaan. Ik hou ruggenspraak over elk plan. Elke daad. Ik geloof niet in Hem maar Hij heeft mij nog steeds in Zijn machtige klauwen. Alleen de stelligheid en het houvast – die ben ik kwijt. Dus wat ben ik ermee op-geschoten? Voorlopig rook ik nog even door. Ik heb haar ge-woon geantwoord dat ik er mij rekenschap van gaf. Dat het vies was.

Later, wanneer dit allemaal achter de rug is, en ik een en ander rustig hoop te kunnen overdenken, zal ik het beter begrijpen. Hoe en waarom wij nietsvermoedend dit veld in stapten, leeg en groen, zover het oog kon zien. We konden alle kanten op, alleen niet terug.

Als oudere man word je verondersteld de weg te ken-nen. Ervaring te hebben. Wijsheid en rust. Maar vanaf het eerste uur was het Billie die mij leidde als een engel, en de sterren, verborgen achter de blauwe hemel, sloegen ons gade met stijgende verwondering. Wij voelden ons ge-sterkt door hun ogen. Zoals dat veld was, daarstraks, in het begin. Wanneer ik eraan denk staan de tranen mij in de ogen. Er zijn drie dingen in het leven waar je om kan hui-len: dingen die je verloren bent, dingen die je gevonden hebt en mooie dingen.

Billie sprong over hoogopgeschoten grassprieten, soepel en sierlijk als een hordeloopster. Haar haren waren nog zacht en glanzend zwart, haar slanke armen zwaaiden langs haar lichaam als slingers, haar wangen gloeiden – heel mooi hoe dat doorheen die typisch Aziatische huidskleur toch was te zien. Ze oogde blij en gelukkig. Wie ons in andere tijden samen door die weiden had zien lopen, zou gezegd hebben: kijk, daar loopt een vader met zijn adoptiedochter. Af en toe werd ik overvallen door een onbetamelijke droefheid, het soort droefheid dat je voelt wanneer je oog in oog komt te staan met perfecte schoonheid. Zonderling.

Maar nu ik hier loop, met haar stille lijf in mijn armen, en het einde nog lang niet in zicht – zeker niet voor mij – en iemand zou mij vragen of ik het liever anders had aangepakt? Ach. Welnee. Alles is een kwestie van afwachten. Kijken hoe de dingen gaan. Zonder een ommezwaai te willen forceren. Bekijk alles zo rechtvaardig mogelijk. En dan zul je op een gegeven moment weten wat je te doen staat. Althans. Zo moet je het zien. Gelukkig zijn we machteloos. Dat is mijn geloof. We moeten het niet anders willen.

Wij zijn een zwervend koor,
Wij lopen zomaar in het rond,
De zon begint te zakken dus wie bevriest de zee?
De vogels moeten kakken, dus neem een hoedje mee.
Stop! Niet-meer-dan-zeven-zinnen-en-dan-lopen-we-weer-dooooooh-
ooooooor,
Want wij zijn een zwérvend koor!

Ze bleef dat lied maar herhalen. Ze zong en ze sprong. Ikzelf bestudeerde de horizon. Heel in de verte, recht voor ons, meende ik enkele zwarte stippen waar te nemen. Dat moesten huizen zijn. Ook die vreemde, onnatuurlijke glooiing kon ik toen al zien. Aan onze rechterhand leek het alsof struikgewas de weiden afzoomde – of waren het bomen? Maar tot aan die vage bakens: niets dan een verlaten groene vlakte die rustte op de bodem van een vergeten zee. Weids, met de kracht van een droom. De zon gleed over onze lichamen als een warme rivier.

De tijd kan niet in twee richtingen reizen. De gemorste melk glijdt niet terug in de fles. Gebroken glazen vallen nooit weer in elkaar. Heeft het zin boete te doen? Die vraag is me in mijn leven menigmaal gesteld. Is weten wat je hebt aangericht geen leed genoeg? En als je niet lijdt onder het besef, was het dan wellicht ook niks van kwade zin, al met al? We kunnen de zaken niet overhaasten, net zomin als we ze tegen kunnen houden. Ik heb geen god meer nodig om mijn geweten te wegen aan het eind van mijn leven, en mij te straffen voor mijn tekortkomingen – slechts kinderen. Jonge mensen. De felheid van hun stappen. Hun dadendrang, vrij van kennis en vrees. Zoals Billie daar liep, steeds verder weg. Ik had moeite om haar bij te benen.

Ik draag mijn goede schoenen. Mocassins. Die hebben gladde zolen.

Overigens heb ik op een gegeven moment wel degelijk geopperd om op onze schreden terug te keren, naar het huis en de feestelijkheden. Billie wilde daar niets van weten.

Ze riep: 'Kom aan, Ome Lex, het is nu eindelijk leuk.'

Leuk. Ik heb dat altijd een wonderlijk woord gevonden. Ik zal er nooit aan wennen. Ik keek omhoog, naar de lucht. Ik vroeg of ze in het lot geloofde.

Daar leek ze diep over na te denken. Ze zei: 'Ik dè-henk. Da-hat. Meestal.'

Zo sprak ze de hele tijd. De-henk. Da-hat. Mooi.

'Ik dè-henk dat meestal alles een beetje per ongeluk gebeurt, denk je niet, Ome Lex? Toevallig.'

Buitengewoon verstandige woorden voor zo'n jong meisje. Ik vroeg of ze dan niks in het bijzonder verlangde.

De pupillen van haar ogen gleden omhoog. Ze leek mijn vraag niet te horen. 'Ik dè-henk. Bijvoorbeeld, hè. Dat terwijl wij hier praten, er nu iemand naar de bakker loopt om een brood te kopen en dat die man of die vrouw een melodie fluit omdat ze goedgehumeurd is, omdat ze verliefd zijn, of zo of.... nu ja en dat ze – laat ons zeggen dat het een vrouw is, hè – zonder het te weten een melodie fluit die niemand ooit heeft gefloten en die even goed is als een compositie van, ehm, Mozart.'

Ik kon niet anders dan deze veronderstelling beamen.

'En dat die vrouw daarna naar huis gaat en boterhammen smeert.' Ze had gegiecheld.

'Als ik nu sterf, zal dit het laatste zijn wat ik gezegd heb voor ik stierf.'

Merkwaardig toch. Zo'n jong meisje. Wanneer Billie lachte, opende ze haar mond niet, maar maakte ze van haar lippen twee dunne strepen die haar tanden ontblootten, als helwitte spiegels voor de zon. Magnifiek.

'Waar wil je eigenlijk naartoe, meneer de ontvoerder?'

Dat was nog zo'n vraag. Meneer de ontvoerder. Markant. Zelfs als ik haar alle dagen gade zou kunnen slaan, zou het nog jaren duren voordat ik de moed zou hebben verzameld om haar aan te raken. Zij heeft míj ontvoerd. Ik had en heb nog geen idee waar onze odyssee heen zal leiden, ook al had het besef op dat moment al wel bezit van mij genomen dat wij op een gegeven moment terug moesten keren. Maar ik kon de overtuiging niet vinden. Ook dat geef ik toe.

Billie ging onvermoeibaar door. De ganse tijd stelde ze vragen. Het was een uitputtingsslag. Dan opperde ik bijvoorbeeld dat haar moeder zich zorgen zou maken.

'Ik heb geen moeder,' zei Billie.

Ik zei dat ze zeker een moeder had, dat er geen leven zonder mogelijk was, en dat Hilde en Dirk goede mensen waren.

'Ze weten niks over mij.'

Ik zei dat dit mij voorkwam als een flagrante onwaarheid. Zo zei ik het. Flagrant.

'Ome Le-hex. Voor mijn verjaardag vorige week zijn we Chinees gaan eten.'

Ik vroeg of ze geen Chinees lustte.

'Jawel, maar...' Ze zweeg even. 'Toen we klaar waren kregen we van die gelukskoekjes, ken je dat?'

Ik vroeg of ze *fortune cookies* bedoelde.

'Ja. Maar de briefjes waren in het Chinees en toen heb ik aan de ober gevraagd of hij het kon vertalen.'

Ik keek haar vragend aan.

'Hij begreep mij niet. En toen gaf ik hem dat briefje en hij las het voor in het Chinees. Dat is echt een rare taal, hè, dat klinkt als een piepende muis. En toen zei hij "you have belly button".'

Ik legde uit dat dit betekende dat ze een navel had.

'Weet ik toch. Iedereen heeft een navel.' Ze raakte in enige mate geïrriteerd. Dat vond ik spijtig. 'Zo stom. Weet je wat er op dat van papa stond? Omhels je innerlijke eenhoorn.'

Ik zweeg.

'Ze zeggen dat je niet met je geluk mag spelen. Waarom eigenlijk niet?' Zoals zij mij kon aankijken. Haar ogen een vonnis waartegen geen beroep mogelijk was. Ze haalde een portefeuille uit de achterzak van haar jeans. 'Kijk, dit is een foto van toen ik een kleuter was.' Er stonden vijf kleine kinderen op de foto. Ze hadden ieder een dinosaurusmasker op. Behalve Billie.

Ik vroeg waarom zij geen masker droeg.

'Mama zegt dat ik geloofde dat ik een dinosaurus wás, en dat ik vond dat ik dat stomme masker niet op hoefde.'

Ze deed de portefeuille weg en haalde een kleine spelcomputer uit een andere broekzak. Het was een zilverkleurig metalen voorwerp, ongeveer ter grootte van een notitieboekje. Ik heb vaker jonge mensen gezien die zich met zulk een toestel vermaakten, maar ik kende het niet. Billie klapte het apparaat open en begon te spelen.

Ik vroeg wat ze aan het doen was.

'Computerspelletje.'

Aha.

'Heb jij een vrouw?'

Dat moest ik ontkennen.

'En Oma dan?'

Ik vroeg of ze Martha bedoelde en stelde dat we enkel goede vrienden waren, van vroeger.

'Ja ja.' Haar vingers gleden over de toetsen van de spelcomputer. Ik positioneerde mij achter haar en probeerde zo een glimp op te vangen van wat er op het scherm gebeurde. Ik zag een dier, eerst meende ik dat het om een walvis ging, maar op zulk een klein scherm kon het allicht ook een hamster of een rat zijn. Ik vroeg haar wie het was en strekte mijn arm over haar schouder en wees de hamsterachtige walvis aan op het scherm. Ze rook naar rozemarijn.

'Hé, pas op!' Billie trok het spel bruusk bij me vandaan, maakte een sprong naar voren, keerde zich om, zonder haar ogen van het scherm af te wenden. 'De dondervogel kan elk moment komen.'

Ik vroeg wat een dondervogel was.

Billie haalde haar schouders op en zuchtte zoals ik meisjes van die leeftijd menigmaal heb zien doen.

Ik insisteerde voorzichtig. Ik wilde weten wat er zou gebeuren als de dondervogel zich met de zaken ging bemoeien.

'Dan word ik opgegeten.'

Aha. Ik zei dat ik me kon voorstellen dat de bedoeling van het spel wellicht was dit te vermijden.

'Weet ik toch.' Ze klonk opnieuw ongeduldig. Spijtig. 'Vind jij Oma dan niet leuk?'

Leuk. Zo had ik nog nimmer over Martha gedacht.

'Ze lijkt zo alleen sinds Opa er niet meer is.'

Ik knikte.

'We lopen tot die sloot daar, en dan gaan we terug, beloofd.'

Ik zal zweren dat ze dat heeft gezegd. Tot die sloot. Ik keek in de richting die zij aanwees maar nergens viel een sloot te bespeuren. Alleen maar eindeloze groene golven. Billie begon te rennen. Ik volgde haar, ik moest wel en ik zal het frank en vrij bekennen: ik had er ondertussen ook wel zin in gekregen.

Dus tot op dat moment, en ook later nog, was het in feite een hoogst vermakelijk verhaal. Maar nu loop ik hier, met die engel in mijn armen, en het lachen is mij wreed en grondig vergaan.

2

Na enige tijd waren we omsingeld door de horizon. De zon, die langzaam de hemel afdaalde, werd ons enige oriëntatiepunt – daar was de zee. Hoog boven ons uit torenden wollige, witte wolkenkrabbers. Ze rukten op, als een leger, en namen bezit van de lucht, die aanvankelijk nog blauw en strak en kaal was geweest.

Ik voelde het zweet langs mijn benen en armen glijden. Er vormde zich een natte vlek op mijn rug. Mijn okselhaar begon te plakken. De kraag van mijn hemd prikte in mijn nek. Bijzonder oncomfortabel allemaal.

'Waarom doe je je jas niet uit?' had Billie gevraagd. Dat was lief. Maar ik doe mijn colbert nooit uit in gezelschap. Ongeacht hoe heet het wordt. Dat is simpelweg niet fatsoenlijk.

Haar passen werden driftig, en ze perste haar lippen op elkaar. Af en toe draaide ze haar pet een kwartslag naar links of rechts. Haar sjaal had ze om haar middel geknoopt. Het kwam me voor dat ze helemaal niet meer aan haar ouders dacht of aan het feest en het lied dat ze daar ging zingen. Het was iets anders dat haar voortdreef. Geen idee hoe ik dat straks uit ga leggen. Ik weet hoe de zaken eruitzien. Uit mijn mond zal het allerminst geloofwaardig klinken.

Maar dat is echt wat ik dacht. Ik voelde mij alsof ik haar excuus, haar vangnet én alibi in één was. En hoe verder we liepen, hoe duidelijker het werd dat onze uitstap een reden had of moest krijgen. Een eindpunt. Een bestemming. We waren te ver gevorderd. Wat er ook zou gebeuren, we zouden bezwaarlijk nog kunnen zeggen dat het slechts een onschuldige grap was geweest. Volgens mij zocht ze niet naar iets specifieks. Ze hoopte slechts iets te vinden. Ze pakte elke meter als een unieke kans. Althans, zo scheen het mij toe.

Met de tijd pakten de wolken zich verder samen boven onze hoofden, en werd mij duidelijk wat ons te wachten stond. Onafgebroken speurde ik naar een schuilplaats. Er was niets te zien. Ik hoopte op een weg, zodat we konden liften. IJdele hoop.

Zelfs nu ik alweer een heel stuk verwijderd ben van de onheilsplek waar het onweer ons overviel, is er nog steeds niks te zien dat op een weg of uitweg lijkt. Helemaal niets.

Ik ben haar achternagegaan, ze wilde vluchten. Ik ben slechts een oude man en ik had mijn goede schoenen aan – ik kon haar niet tegenhouden. Ik ben haar gevolgd, zo goed en zo kwaad als dat ging. Voor haar eigen veiligheid. Dat zal ik zeggen.

Eerst wilde ze niemand bellen en daarna had het regenwater de batterij van mijn mobiele telefoon onklaar gemaakt. Dat zal ik zeggen.

Toegegeven, het moment waarop wij in deze situatie verzeild zijn geraakt, is natuurlijk uitermate ongelukkig. Nu het hele land op zoek is naar een verklaring – tot pure verzinsels aan toe. Zonder die fabel van de ruis hadden we het misschien niet eens meer over die meisjes gehad. En

dan had dit er heel anders uitgezien. Hoewel. Echt opwek-
kend was het nooit geworden. Maar toch. De ruis doet mee.
Ik kan hem horen. Niet echt. Maar hij bespeelt de feiten in
de hoofden van de mensen alsof het pianotoetsen zijn. Ik
kén het fenomeen. Het heeft zich op klassieke wijze ont-
wikkeld. Hoe meer mensen iets horen, hoe meer mensen
iets horen. En hoe meer spiedende ogen, hoe groter het
verlangen naar iemand met spijt.

Billie was de eerste die hem zag. 'Kijk!'
    Een grote witte vogel, alleen de punten van zijn vleugels
waren zwart. Hij zat op de oever van een smalle sloot en
maakte een geluid dat klonk alsof hij zijn keel schraapte.
Een mekkerende klaagzang die door de wind sneed. Hij
draaide zijn okergele kop met korte schokken heen en
weer, opende zijn lange snavel, mekkerde opnieuw, dan
spreidde hij zijn vleugels half open, leek zich af te willen
zetten, maakte een onhandig sprongetje, trok zijn vleugels in, ging weer zitten, klaagde verder.
    Ze wenkte mij, zonder zich om te draaien.
    De vogel zweeg. Hij had ons gezien en trok zijn kop
in, bespiedde ons met één oog, dat verborgen zat in kleine, donkere veren vlak bij zijn snavel. Billie kroop op handen en voeten naar hem toe tot ze nog slechts een meter of twee van hem vandaan was. De vogel verroerde zich
niet.
    'Hij is tam,' zei ze. 'Kijk, hij blijft gewoon zitten. Dag vo-
geltje, hé jongen, alles goed?'
    Alsof het een kind was.
    'Kijk, Ome Lex, een tamme meeuw.'
    Ik speurde de hemel af maar er waren geen andere vo-
gels te zien. Het was geen meeuw. En hij was ziek.
    'Ziek?'

Billie kroop nog dichterbij. De vogel begon opnieuw zacht te mekkeren.

Ik zei nog dat ze voorzichtig moest zijn.

'Ja jaaa,' zei Billie. 'Kom vogeltje, vlieg maar, kom.' En ze sloeg met haar hand in het gras, en dan, wat harder, op haar dij. De vogel schrok, spreidde de vleugels en hipte een meter verder, weg van de sloot. Billie sprong op en klapte hard in haar handen. 'Ja! Vlieg maar! Ja!'

Maar weer bleef de vogel zitten. Hij bibberde, alsof hij het koud had.

'Waarom vliegt hij niet weg?'

Ik herhaalde dat hij wellicht ziek was, of gewond aan zijn pootjes, waardoor hij niet goed af kon zetten.

'Och arme, arme vogel. We moeten hem redden.'

Dat was de eerste keer dat ík een beetje ongeduldig werd. Haar speelsheid vermoeide mij. Het ging regenen, dat was zonneklaar, en we waren veel te ver gegaan – ook al stonden we nog maar aan het begin, maar dat kon ik toen nog niet weten. Echt niet. Dus ik zei dat we naar huis moesten. Zo snel mogelijk.

'Ome Le-hex.'

Maar ik ben haar oom helemaal niet. Niet echt. Thuis maakte iedereen zich wellicht vreselijk veel zorgen en zij ging zich nog even op haar dooie gemak om een vogel bekommeren die het toch niet meer ging redden. Ik zei het misschien wat bot. Daar heb ik spijt van.

'Dat is supergemeen,' riep ze. 'Dat is wel een dier, hè, die hebben ook gevoelens.'

Ja. Daar moet je bij Ome Lex dus niet mee aankomen. Dieren denken niet. Ik heb mij omgedraaid en begon weg te lopen.

'Er is ginder niemand die mij mist, niemand!' Ik veronderstel dat ze met haar arm zwaaide in de richting van waar ze dacht dat het huis ongeveer moest liggen – maar voor hetzelfde geld zwaaide ze naar de zee. De zon was nergens meer te zien.

'Anders waren ze ons toch allang komen zoeken?'

Op dat moment realiseerde ik mij dat ze thuis wellicht dachten dat Billie in veilige handen was. En dat ze ons daarom niet kwamen zoeken. Ik stond nog steeds met mijn rug naar Billie gekeerd.

'Ik bén toch ook in veilige handen?' vroeg ze.

Dat ging me door merg en been. Ik kon niet anders dan knikken.

'We moeten hem redden, Ome Lex, kom, toe.'

De situatie was hopeloos. Ik was machteloos. En ik deed nog zo mijn best. Ik voelde mij alsof ik krampachtig binnen de lijntjes probeerde te kleuren terwijl er iemand aan mijn elleboog zat te trekken en te duwen.

'Ome Le-hex. Als we hem hier laten zitten, gaat hij dood. Dan wordt hij opgegeten door een ehm...'

Zachte, ritmische paukenslagen kondigden aan wat nog hooguit een half uur op zich zou laten wachten. De hemel was helemaal opgevuld. En toen zag ik, in de verte, de barak staan. Eindelijk. Ik wees ernaar. Wellicht werd hij soms door een herder of een boer gebruikt. Het was hooguit enkele honderden meters lopen. Misschien een kilometer. Of twee. Moeilijk te zeggen. Alles lijkt veraf en dichtbij in zulke situaties. Maar we moesten schuilen. We hadden geen keuze.

'Och, dat waait wel over,' zei Billie nog. Typisch.

Ik hield voet bij stuk.

'Oké.' Ze had gezucht. 'Maar we moeten hem wel meenemen. Hij gaat verdrinken.'

Dat meisje was echt onverbeterlijk.

'Doe je jas uit, Ome Lex, het is toch te warm. We wikkelen hem in je jas en dan gaan we schuilen.'

Het was niet te geloven. Mijn jas uitdoen. Voor een vogel.

'Anders blijf ik hier.' Ze kruiste haar armen voor haar magere borst. De vogel mekkerde. Ik deed mijn colbert uit.

We zaten op dat bankje in die barak alsof we zaten te wachten op de bus. Ik hield mijn armen dicht tegen mijn lichaam aan gedrukt, ik wilde niet dat ze de zweetplekken onder mijn oksels zou zien. Ik voelde me naakt.

Billie zat naast mij. De vogel zat op haar schoot. We hadden hem in mijn colbert gewikkeld, het dier bood nauwelijks weerstand. Billie klemde haar armen om hem heen en praatte zachtjes tegen hem, als een kind dat met haar favoriete pop speelt. De vogel bewoog niet, hij scheen het allemaal prima te vinden. Ze zei: 'Ik hoop maar dat je niet moet kakken, jongen. Niet doen, hoor.'

Daar moesten we allebei hard om lachen. We zaten daar goed. De vogel was rustig. Billie leek niets meer in haar schild te voeren. Alleszins zouden wij een tijdje ter plaatse blijven. Het leek onwaarschijnlijk dat er nog iets van belang zou gebeuren.

Na enig beraad met mezelf concludeerde ik dat de vogel haast wel een jan-van-gent móést zijn. Ik dacht aan het lied dat die jongens daarstraks nog gezongen hadden: *Vliegt de Blauwvoet? Storm op zee!* Toeval. Zeker. Maar ver ging deze Blauwvoet niet meer vliegen. Dat leek ondoenlijk. De storm zou zich vlug melden. Er ontstond een vreemdsoortig lichtspel in de wolken. Alsof er voor ons een spektakel werd opgevoerd. Een onzichtbare hand toverde een bos sluiers achter de horizon vandaan. Ze gleden omhoog, lieten een gouden spoor achter op het donkere hemeldak, als een zoeklicht, zwervend door het firmament. Dan spatten de sluiers uit elkaar, en bleven in de lucht hangen als dansende geesten. We keken toe als onder hypnose. De sluiers trokken weer samen tot één geheel, één lange, meanderende stroom licht die langzaam donker kleurde, steeds donkerder – zoals inkt door dik, stug papier dringt – om ten slotte volledig op te lossen in de lucht.

We werden er stil en weemoedig van.

De wind wakkerde aan. De golfplaten waaruit de barak was opgetrokken begonnen te klepperen.

'Hoor je dat?' zei Billie. Ze hield haar wijsvinger bij haar oor.

Ik keek omhoog, monsterde de stevigheid van de barak.

'Nee,' zei Billie 'Luister, het is net alsof ze zingen.'

Zingen. Wie dan.

'Ik weet niet, nee niks, laat maar.'

Er viel een druppel op het dak van de barak als op een gloeiend hete plaat van een fornuis. De wolken lichtten nog één keer op, fel en kort, daarna lieten ze alle weerstand varen, en lieten hun opgekropte woede en verdriet de vrije loop. Het was verschrikkelijk.

3

Het begon met losse, dikke spetters als van een lekkende kraan. Meteen daarna stortte het water zich naar beneden in zulke grote hoeveelheden dat je nauwelijks nog afzonderlijke druppels waar kon nemen.

Billie leek afwezig. Ze onderging het gekletter en gedonder zonder aantoonbare emoties. De barak werd flink door elkaar geschud. Ook de vogel verroerde zich niet, hij zat bij Billie op schoot en keek naar buiten, net als wij.

Ik heb weleens gelezen dat gebeurtenissen in de lucht een enorme impact kunnen hebben op het menselijke gemoed. Volle maan, bovenal. Maar ook onweer of een regenboog. Het poollicht schijnt tot euforie te leiden. Ik weet niet wat het onweer met Billie deed maar ze leek plots heel ver weg te zijn, alsof ze luisterde naar stemmen die ik niet kon horen. Ouder. In het schemerende licht dat de storm in de barak wierp, zag ik nu een bekoorlijke, jonge, droevige vrouw. En nog niet zo lang geleden had ik haar berispt als een kind. Misschien had ik mij vergist.

Ik zei dat we zo maar weer naar huis moesten gaan, wanneer het weer droog zou zijn, en vroeg of ze daarmee in wilde stemmen. Ik zei dat het mooi was geweest. Ik probeerde het vastberaden en geloofwaardig te laten klinken.

Tot mijn verbazing knikte ze.

'Ik vond het heel leuk, Ome Lex. Dank je wel. Mag de vogel met mij mee? *Please?*'

Ze zei dank je wel. Dat zegt toch genoeg?

Ik vertelde haar dat het naar alle waarschijnlijkheid een jan-van-gent betrof en dat hij wellicht beter af was in de polder. Hij hoorde thuis op de zee.

Billie nam de jan-van-gent voorzichtig van haar schoot, zette hem neer op de grond en ontdeed hem van mijn colbert. De vogel kroop naar een hoek van de barak, stilletjes mekkerend, en bleef daar zitten.

'Ja,' zei Billie. 'Ga daar maar lekker zitten, jongen. Daar kan je niks gebeuren.'

Ik wilde een arm om haar schouders leggen en haar tegen me aan drukken. Er was geen reden om bang te zijn. Ik vroeg waarom ze was weggelopen.

'Er is daar niemand,' zei Billie. 'Niemand die mij begrijpt.'

Aha. Ik vroeg haar wat zij dan graag wilde dat ze zouden begrijpen.

Ze spreidde haar armen en richtte haar handen naar de grond en daarna weer omhoog alsof ze iets op wilde vangen dat uit de lucht zou gaan vallen. 'Er moet toch een plek zijn waar nog meer mensen wonen zoals ik? Ik wil niks worden, weet je, ik wil iets zijn. Ik wil niet zingen voor hén, niet vóór andere mensen. Ik wil leven en zingen en dansen mét anderen, met andere mensen zoals ik. Maar iedereen heeft het alsmaar over werk.'

Zo jong, en toch zoveel wijsheid. Echt een bijzonder meisje.

Ik zei dat ze het zwervende koor bedoelde.

'Ja,' zei Billie. Ze haalde verlegen haar schouders op. 'Vind je dat gek? Het is natuurlijk stom, het zwervende koor, maar het zou toch fantastisch zijn als het bestond? Het lijkt me vreselijk om altijd alleen te zijn.'

Ik zweeg.

Het ging steeds harder regenen, en elke bliksemflits werd nu bijna onmiddellijk gevolgd door een woeste explosie van donker geluid. Ik probeerde mij voor de geest te halen hoe het ook alweer zat met bliksem en donder, of we hier veilig zaten of niet. Onze barak was niet heel erg hoog. Ik kon niet rechtop zitten zonder mijn kruin te stoten, maar desalniettemin was dit het hoogste punt in die uitgestrekte groene vlakte waar wij al uren ronddwaalden – en nog steeds.

Er viel zoveel water. Het leek alsof de zee besloten had een stuk land terug te vorderen.

Billie ging staan. De punt van haar pet raakte het dak, ze wiebelde van het ene been op het andere.

Ik dacht dat ze het koud had, al kon ik mij dat moeilijk voorstellen, het was nog immer broeierig warm. Ik dacht aan hoe de weiden zouden ruiken, wanneer het gestopt zou zijn met regenen en de zon het gras droogde, en hoe wij daar samen doorheen zouden lopen, hand in hand, op weg naar huis, alles nieuw en zorgeloos.

Wat een idiote gedachte, in retrospectief, wanneer je mij nu hier ziet lopen, haar krachteloze lichaam in mijn armen, de rode schrammen op haar hals.

'Ik wil dansen!' riep Billie plots. 'Ik wil da-han-se-hen!'

En voor ik mij rekenschap kon geven, rende ze naar buiten, de regen in, en begon te springen en met haar dunne armen in het rond te zwieren terwijl haar klaterende meisjesstem voor mij onverstaanbare klanken de lucht in wierp als confetti en na elke bliksem en donderslag stak ze haar armen horizontaal voor zich uit en wapperde met haar handen terwijl ze riep: 'Whoehoehoehoe!' Frappant.

Ze daagde de storm uit. Waarom? Ook dat zullen ze mij gaan vragen. Waarom? Dat wordt een moeilijk moment. Het wordt mijn woord tegen het beeld dat ze van mij zullen hebben. Het worden de feiten zoals ze zich aan mij hebben gepresenteerd tegen die ongrijpbare, zinderende wolk van vermoedens en verwijten in hun oren die zal verhinderen dat ze ook maar íéts van wat ik zal zeggen juist zullen horen. Maar ik moet en zal eerlijk zijn. Ongeacht de gevolgen.

Binnen luttele seconden was ze doorweekt. Haar haren plakten tegen haar voorhoofd, haar shirt kreeg de kleur van haar huid. Ze sloeg haar handen in elkaar en hief ze boven haar hoofd, haar armen verstrengeld met elkaar als twee slangen en ze bewoog haar heupen in kleine cirkels, als een buikdanseres. Ik vond het ongepast. Ik wilde haar naar binnen roepen maar ze wilde mij geen gehoor geven, ze had haar ogen gesloten en liet het water over haar lijf stromen als was het een warme douche.

En ik zat daar, in mijn hemd, mijn colbert lag op de grond, ik was bezweet en moe en ik keek naar haar als naar iets – en ik vervloek mezelf voor de wijze waarop ik haar nu moet beschrijven – iets wat ik wilde hebben.

4

Billie was door het dolle heen. Regenwater en modder spatten op haar broek en shirt iedere keer wanneer haar voeten in het gras landden. Ze kronkelde als een bergrivier, haar handen gleden als vissen langs haar gezicht over haar kleine boezem en haar gladde buik, over haar dijen naar haar voeten tot ze opgekruld als een egel dicht tegen de grond zat en dan sprong ze weer op en spreidde haar armen en benen, strekte haar lichaam zo ver ze kon en het leek alsof ze minutenlang in de lucht bleef hangen, gedragen door de wind en de regen – en ze zong. Ze zong zo luid ze kon, met de hoge stem van een sirene en wanneer ze weer landde, vederlicht op de groene golven, balde ze haar vuisten en begon met opgeheven knieën te marcheren als een soldaat, op en neer voor de barak waarin ik nog steeds stond, verlamd en bevroren.

Dan rende ze weg en verdween uit mijn zicht. Ik twijfelde, ik wist niet of ik moest gaan kijken. Maar nog voordat ik überhaupt iets kon beslissen kwam ze aan de andere kant weer tevoorschijn en raasde mij voorbij, druppels spatten van haar gympen, landden op mijn schouders en mijn gezicht. Het is bizar welke details mij van die gebeurtenissen zijn bijgebleven. Ik betastte mijn neus, veegde een druppel aan mijn wijsvinger en stak hem in mijn mond.

'Hey! Mahatsuko!'

Het was toen dat ze het riep.

Ze had weer een rondje gelopen, en nog een, ze cirkelde om de barak als een planeet rond de zon, haar stem tolde door mijn hoofd en ik begreep niet wat ze riep, haar kreten stierven weg, zwollen aan, ze schreeuwde werkelijk en de volgende keer dat ze tevoorschijn kwam, liep ze niet meer door, maar stortte zich op mij als een wilde kat, echt waar, ze omhelsde mij, maakte mij gierend van het lachen helemaal nat en ik durfde mij niet te bewegen, ik stond stil als een pilaar en liet mij betasten, ik voelde de warmte van haar lichaam en de koelte van het water dat van haar kleding in de mijne liep.

Ze moeten mij geloven. Ik kan niets anders vertellen dan wat er is gebeurd. En dit was nog niet eens alles.

'Knuffel!' riep Billie. Ja. 'Knuffel!' En ze pakte mijn handen vast en legde ze om haar schouders en ik liet haar begaan, dat had ik nooit mogen doen, maar dat is zoals het ging, en zo stonden we daar: een vurige engel die een standbeeld omhelsde.

Het was een wonderlijk moment. Een nerveuze tinteling verspreidde zich over mijn lichaam als een vage herinnering. Ik begon zwaar te ademen, ik realiseerde mij wat er gebeurde en ik zweer het: ik probeerde aan andere dingen te denken. Boeken die ik heb gelezen, of ik nog sigaretten had, de oude lelijke vrouwen in mijn appartementsblok, die verrimpelde voetbalcoach van de Belgische nationale ploeg van lang geleden, hoe heet hij ook alweer, Guy Thys!

Het hielp niks.

Ik ben geen beeld, ik ben een mens.

Alles in mij leefde en aan mij kleefde een meisje, een

jonge, natte vrouw, en ook zij moet het gevoeld hebben; haar hoofd lag op mijn borstkas, haar buik drukte zich tegen mijn kruis. Het was schaamtelijk.

'Hey! Mahatsuko!' Ze riep het opnieuw. Waarom toch? En ze duwde zich van mij af, keek mij aan met grote ogen en rende weer gillend en lachend de zondvloed in, steeds verder weg, veel verder dan daarstraks, en de regen trok een scherm op dat haar lichaam langzaam deed vervagen, ze leek wel honderden meters ver en dat was het moment waarop de hemel in tweeën spleet, een verblindend licht de weilanden in lichterlaaie zette, en Billie veranderde in een pekzwart silhouet.

Ik kneep mijn ogen dicht, verdwaasd door wat er gebeurde en wat gebeurd was. Ik sloeg de handen voor mijn gezicht, maar dat hielp niks – het licht drong door mijn huid en tekende rode vlekken op de binnenkant van mijn oogleden, harde, ziedende vuurballen die explodeerden in een razende knal, luider dan een menselijk oor kan bevatten.

En toen ik mijn ogen weer opende, lag ik op de grond. Regen viel zacht en troostrijk.

De jan-van-gent kwam uit zijn hoek gekropen en schuifelde naar de open zijde van de barak. Moeizaam kwam ik overeind en ik liep naar de plek waar ik Billie voor het laatst had gezien. De vogel kwam achter mij aan. Er hing een vreemde echo in de lucht, een zinderende fluittoon, een verdwaalde satelliet die de juiste frequentie zoekt.

Ik vraag me nog altijd af wat dat is, een Mahatsuko.

Even verderop lag Billie op de grond, als een vod. Dat beeld blijft door mijn hoofd spoken, al zolang ik hier loop, door die godverlaten polders, met dat vod in mijn armen.

De mensen denken dat ze veranderen, dat hun verhaal verteld wordt door de foto: hun blik, hun houding, hun kapsel, de kleding die ze droegen. Ze bladeren door een album, lachen om de beelden van vroegere jaren, de wisselende opstellingen en de grijzende haren. Maar het is in werkelijkheid hun perspectief dat veranderd is. Zoals de fotograaf zich de ene keer bukte en de andere keer op een stoel of muurtje ging staan: het hangt niet af van de voorwerpen of mensen die hij fotografeert en hun emoties op de foto worden niet bepaald door henzelf maar door hoe de fotograaf de camera op hen richtte.

Wanneer je de beelden van de afgelopen tien jaar naast elkaar legt, kun je het zien: hoe de voren in het gezicht van Dirks vader steeds dieper zijn geworden – een omgeploegde akker. Hoe Thomas en Simon van plaats hebben gewisseld. Hoe Martha – tussen hen in – haar handen op hun schouders is blijven leggen. Er zijn foto's waarop Nonkel César alleen is, afwezig is, dronken is, en één keer ook met een dame die niemand kende of daarna ooit heeft weergezien. En de Weduwe, die eerst nog recht in de camera keek, met strakke, heldere blik, kin vooruit, lachend om de hand van de man naast haar die niemand in haar billen ziet knijpen, zij is op de laatste paar foto's nog nauwelijks te onderscheiden. Schuilend achter ruggen en schouders; een grauwe lok haar of het oog van een angstig dier dat zich schuilhoudt voor de jager.

Twee families, verenigd en vereeuwigd, voor minstens een jaar. Ze zijn hier samen, niet uit vrijheid maar uit afhankelijkheid. In hun ogen verborgen: de geheimen die hen met elkaar verbinden, als verdroogde lijm.

Simon brengt zijn gezicht naar de spiegel, tot zijn neus het glas bijna raakt. Hij neemt een neushaar tussen duim en wijsvinger, vervormt zijn gelaat tot een grimas. Trekt, zucht, ontspant.

Buiten weerklinkt een stem die instructies geeft. Zo dadelijk zullen ze hem gaan zoeken, hun handen aan hun monden zetten en roepen alsof hij Sinterklaas is. Hij denkt aan Hilde, het belang dat ze aan dit soort momenten hecht. Het is godgeklaagd. Een fractie van een seconde breed glimlachen, om uren van doffe verveling te verbergen. Als zij daar blij mee is. Simon rolt met zijn ogen. Hij heeft nog hooguit enkele minuten. Hij spreidt de armen als om ruimte te maken voor zichzelf, opent de mond, steekt zijn tong uit. Dan neemt hij een zelfverzekerde houding aan, en wijst naar zichzelf alsof hij een prangende vraag te stellen heeft.

'Simon. Jongen. Luister. Wie, hier aanwezig op het feest, zoudt gij pakken als ge mocht kiezen?'

Hij verplaatst zijn gewicht van het ene been op het andere en wrijft met zijn hand over de stoppels op zijn kin.

'Efkens denken, Simon. Van wie hier op het feest is? Dingeskes misschien, vroeger, voordat die gast dood was. Toen was ze nog wel te doen. Hoewel. Zij zag er wel goed uit maar ik kon mij nooit echt voorstellen hoe ze zou zijn. Begrijpt ge? Ge hebt van die vrouwen, die zíén er wel geil uit, maar als ge ze dan hebt genomen, vallen ze toch altijd een beetje tegen. Zoals gamba's.'

In de tuin is er niemand die beweegt zonder toestemming van de Kabouter – een man die familiefoto's ernstig neemt. Zijn fototoestel hangt om zijn nek als een koebel terwijl hij structuur tracht aan te brengen in de vormloze groep die over het gazon uitwaaiert als een kudde lammeren. Huid verzamelt zich rond zijn mond in lagen wanneer hij peinzend zijn natte lippen tuit.

De volwassenen verlaten de tafel, bezaaid met borden en bestek, en zoeken lacherig hun plek, stoten elkaar aan, duwen elkaar plagerig weg. Het duurt niet lang voor iemand twee vingers opsteekt achter het hoofd van een ander.

De kinderen, onvoorspelbaar en speels, als onschuld, wriemelen op de eerste rij, onrustig lachend, hun posities zonder zorgen of betekenis.

De Kabouter stuurt de sessie als een voetbalcoach aan het hoofd van een onwillige selectie die zichzelf jaar na jaar blijft uitbreiden, op de enkele in- of uitgaande transfer na. Druk gesticulerend moedigt hij zijn spelers aan, geeft complimenten aan wie zijn richtlijnen opvolgt, keert zich hoofdschuddend af van wie de opstelling niet wil begrijpen. Zodra de groep ook maar een seconde lang de indruk geeft een vaste vorm te hebben gevonden, rent hij naar de driepoot die even verderop staat. Hij plaatst het toestel, kijkt in de zoeker, zucht, rent weer terug, corrigeert een schouder of een arm, duwt iemand twee centimeter naar binnen, naar buiten, naar voren. Met name de Weduwe moet hij meermaals vanachter een brede rug trekken en weer tussen twee schouders neerzetten, als een etalagepop. Dan dribbelt hij weer terug naar de camera, kijkt opnieuw door de zoeker, komt overeind en zet zijn handen in zijn zij.

Hilde en Dirk staan in het midden. Het koppel dat door toedoen van Ome Lex de twee families verbindt. Ze hebben hun handen op de schouders van Billie gelegd, die voor hen staat. De andere volwassenen zijn door de Kabouter aan weerszijden van Hilde en Dirk gepositioneerd tot het plaatje compleet is. Ze kijken als mensen die geslaagd zijn in het leven, hun zorgen afgedekt door een gevarieerd assortiment aan verzekeringspolissen, en grappen en verhalen die iedereen kent.

De Kabouter kijkt omhoog, zucht opnieuw.

'Isabelleke. Waar is uwe echtgenoot?'

Simon kijkt opzij, naar de deur. Even denkt hij iets te horen. In de tuin wordt nog steeds met regelmaat geschreeuwd maar hij kan zijn eigen naam vooralsnog niet herkennen in de gedempte klanken die het toilet bereiken. Hij krabt met een vingernagel aan de binnenzijde van zijn neus, draait zijn vinger er zo ver in rond dat zijn elleboog omhoogsteekt in de lucht ter hoogte van zijn oor. Dan draait hij de vinger terug, en trekt behoedzaam de keutel naar buiten. Er zijn een paar neusharen meegekomen. Hij duwt het snot in een stuk wc-papier en gooit het in de pot. Dan richt hij zich weer tot de spiegel.

'Die Thaise. Ja. Die mag mij wel 'ns een massage geven. Mét happy ending. Voor de rest? Niks dan miserie. Billie. Ja. Oké. Nog een paar jaar wachten. Er is nog altijd zoiets als de wet, hè.'

Simon tekent twee aanhalingstekens in de lucht.

'Hohoho. Simon. Jongen. Stop. Genoeg. Maar ik mag dat toch? Ik mag dat toch denken? Ja, oké, maar het is niet normaal. Normaal, normaal, wat is er hier nog normaal?'

Simon draait om zijn as en knipoogt in de spiegel.

'Alleszins graag een Aziaatje. En een negerin. Dat moet nog gebeuren. Dat móét. Desnoods betaal ik ervoor. Maar dan neem ik wel iets chics, van zo'n escortbureau, een fotomodeltype. Daar betaal ik met plezier een paar honderd euro voor, geen probleem. Een lang, atletisch, zwart lijf. Ze zeggen dat de geur zo speciaal is. Dierlijk. Lekker.'

Simon slaat zijn hand voor zijn mond, trekt zijn wenkbrauwen omhoog. Schudt zijn hoofd, alsof hij zijn kaakspieren los wil gooien. Dan knoopt hij zijn broek los en laat hem zakken terwijl hij zichzelf onafgebroken in de ogen blijft kijken. Hij knipoogt, draait zich om, gaat op de wc-bril zitten, en legt zijn linkerhand op de stortbak alsof het de nek van een paard is dat hij gaat berijden.

Langzaam begint zijn rechterhand op en neer te bewegen.

'Simon! Simon!'

De stem van Hilde snijdt door de hete lucht als een ijspriem.

'Maar allez, Isabelle? Waar zit die nu?'

Isabelle haalt de schouders op.

'Toilet?'

'Toilet. Toilet. Die weet zijn momenten nogal te kiezen. We hadden het vóór het buffet moeten doen, hè. Wat heb ik daarstraks nog tegen iedereen gezegd? Maar allez zeg.'

Hilde verlaat de nu eindelijk strak geordende groep, en beweegt zich in de richting van het terras.

'Maar wat gaat gij nu doen?' vraagt Isabelle.

'Ik ga die halen,' zegt Hilde.

'Simon kan dat niet appreciëren, hè. Op het toilet wil hij niet gestoord worden. Hè, Oma?'

Martha knikt.

'Ja, zeg 'ns. Het is wel mijn broer, hè.'

Hilde beent naar het huis. Isabelle kijkt Martha aan, die de schouders ophaalt. De anderen ontspannen en verlaten hun positie, in afwachting van het laatste teamlid, tot verbijstering van de Kabouter, die de handen in de lucht gooit.

'Zo kan ik dus niet werken, hè.'

De stemmen buiten worden luider, ze lijken iets te herhalen. Simon sluit de ogen en probeert de beelden in zijn hoofd te beheersen. Hij ziet Billie voor zich. Ze ligt stil, als een pop, haar hoofd opzij gekanteld, haar amandelvormige ogen gesloten. Simon legt zijn hand op haar heup, streelt haar lichtbruine huid, en buigt zich over haar heen, dringt langzaam naar binnen, en begint te stoten. Maar Billie reageert niet. Hij glijdt met zijn handen over haar kleine meisjesborsten, grijpt haar smalle taille, duwt zichzelf nog dieper naar binnen, drukt haar lijf tegen het zijne, maar er komt geen reactie, zijn penis ligt slap in zijn hand, en het beeld vervormt, wordt samengedrukt tot een streep en springt dan weer open, zoals een storing op een oud televisietoestel. Simon concentreert zich. Nu is het de Thaise Bruid die onder hem ligt en lacht, hem opzij duwt zodat ze omdraaien en zij boven op hem zit en haar borsten voor zijn ogen dansen. Dat werkt. Simon kreunt. De Thaise Bruid vertraagt het tempo, tilt haar heupen op, houdt hem nog net in zich, plagerig, en zakt dan traag weer naar beneden. Simon glimlacht. Zijn linkerhand grijpt in het nekvel van het paard. Hij duwt de Thaise Bruid van zich af, draait haar om en penetreert haar langs achteren, haar steile donkere haren verkleuren tot golvend blond en haar huid verbleekt tot het blanke vel van Isabelle, wier benen hij uit elkaar duwt met de kracht van zijn stoten en hij duwt haar gezicht in de deken, duwt hard, steeds sneller glijden zijn vingers langs zijn penis, steeds harder beukt hij in op Isabelle, ze lijkt iets te roepen maar hij hoort haar niet, hij hoort niets meer, en langzaam vervaagt het beeld in zijn hoofd tot verblindend wit.

'Isabelle.'

Simon legt zijn voorhoofd op de rand van de stortbak en probeert de intense gloed die door zijn lichaam stroomt te verwerken met dichtgeknepen ogen. Hij tilt zijn voeten van de grond, krult zijn tenen, als een baby.

Dan wordt de klink van de deur naar beneden gedrukt.

'Bezet!'

Simon springt op, en draait zich vliegensvlug om, zodat hij in onverdachte positie op de pot zit. De deur staat op een kier, door het scharnier ziet hij Hilde, die een bruuske beweging maakt.

'Simon! Wat zijt gij aan het doen?'

Simon legt zijn hand op de deurknop. Hilde. Ze klinkt als een overspannen moeder. Alleen hún moeder was niet zo. Nooit.

'De foto! Iedereen wacht op u. Allez!'

Simon duwt de deur dicht.

'Ja ja ja. Ik ben onderweg, zus.'

'Iedereen wacht op u.'

'Ik kom!'

Voetstappen verwijderen zich uit de gang. Simon ontspant, komt overeind, trekt een paar blaadjes papier van de rol en maakt zich schoon. Hij staat op en knoopt zijn broek dicht, trekt grimassen naar de spiegel, beweegt zijn gebalde vuisten op en neer in de lucht, schudt zijn hoofd terwijl hij zijn tanden laat zien.

'Idioot. Ongelofelijk eigenlijk. Ongelofelijk wat ik hier doe.' Hij spreekt nu zacht, half fluisterend. 'Zuipen. Ik moet gewoon blijven zuipen. Dan is het nog te doen. Godverdomme, wat zijn die mensen saai, zeg. De foto. Belangrijk, zenne.'

Hij wast zijn handen, laat het koude water onnodig lang door zijn vingers stromen. Zorgvuldig droogt hij ze af. Hij kijkt opnieuw in de spiegel, glijdt met zijn vingertoppen over zijn voorhoofd om te controleren of de rand van de stortbak daar geen afdruk heeft achtergelaten. Daarna spoelt hij de wc door. Hij legt zijn hand op de deurknop, en haalt diep adem.

'Wie mij nu gezien zou hebben, zou denken dat ik niet goed wijs ben. Maar ik ben niet zot. Ik ben normaal. Simon, jongen. Wat gij hier juist deed, dat is wat normale mensen doen wanneer niemand ze kan zien. Zo is het, en niet anders.'

En nog één keer kijkt hij opzij, naar zichzelf, en knipoogt.

Op het terras staat Ome Lex, die niet op de foto wil, naar hij zelf zegt 'om de continuïteit van al die jaren aan familieportretten niet onnodig te verstoren'.

Simon loopt langs hem heen de tuin in en voegt zich bij de familie, de opmerkingen negerend of counterend met veelzeggende gebaren naar zijn billen en neus. Hij grijpt in de gauwte een glas wijn van tafel en gaat naast zijn moeder staan.

De Kabouter stelt alles in het werk om iedereen zo snel mogelijk weer op de beoogde posities te krijgen. Dat lukt wonderwel, waarna hij op enkele knoppen drukt en van de driepoot naar de groep sprint. Heel even is het stil. Billie zwaait naar Ome Lex. En net op dat moment weerklinkt een zoemend geluid, gevolgd door een klik en een vloek.

De Kabouter kijkt op naar het terras, zwaait zijn arm in de lucht met de rug van zijn hand naar Ome Lex gekeerd.

'Zo kan ik dus niet werken, hè. Zo moeilijk is dat toch niet?'

Ome Lex steekt zijn hand op en knipoogt naar Billie. Dat kunnen ze van die afstand niet zien. De Kabouter activeert de zelfontspanner opnieuw en rent weer naar de groep toe, die geconcentreerd lijkt, geconcentreerd lacht, op de lens focust, alsof ze zich er nu bewust van zijn dat niet alleen de camera naar hen kijkt, maar ook Ome Lex en met hem alles wat om hen heen beweegt: de zwaluwen in de lucht, de maan die door de blauwe hemel schemert, het ritselen van bladeren.

Ze staan daar om de angst te delen. Wie de angst niet deelt, is een eenzame prooi, een verdwaalde antilope die nietsvermoedend drinkt van het water waarin de krokodillen zwemmen. Samen om niets te hoeven horen. Om niets te hoeven zien. Ze sluiten het uit, wat het ook is, dat daarbuiten op hen wacht, sluipt, om hen heen cirkelt als een valk op zoek naar het nest van een kraai in de top van de lantaarnpaal die hun huis belicht; ze negeren zijn snerpende klaagzang, zeggen dat het slechts een vogel is. Te laat. De angst heeft haar eieren reeds gelegd, in hun schoot. Het is onmogelijk zich te verdedigen, zij is deel van hen geworden. De mensen verzorgen haar, voeden haar, ongewild – het is hun instinct dat zich tegen hen keert en de angst en de bedreiging versmelten met elkaar als het goud van twee ringen. Hun tanden, blinkend in de zon, als bladgoud. Alsof ze willen dat er iets gebeurt, of kan gebeuren, omdat ze alleen dan echt samen kunnen zijn. Collectief onbehagen. Het werkt aanstekelijk. In tijden van angst en vermoedens lijken mensen het meest op elkaar.

En daar staat Ome Lex, langs de zijlijn. Met perfect zicht op de situatie. Binnensmonds tegen zichzelf mompelend. Hij is het gewend.

Het toestel drukt af.

Geen van de aanwezigen beseft waarvan dit beeld een herinnering zal worden, anders dan van een zwoele zomermiddag. Ze weten niet beter of het zal een jaar lang vanuit een kader op een tafel of kast onverstoorbaar geluk en harmonie representeren, en alles wat er in huis gebeurt breed glimlachend gadeslaan. Etentjes. Ruzies. Soep die wordt gemorst. Gezelschapsspelletjes. Verjaardagen. De geur van een kaars die werd gedoofd. Of lange, ijzingwekkend donkere nachten – het gekreun van het meubilair, de soundtrack van hun dromen.

'Nog eentje voor de zekerheid,' zegt de Kabouter.

ALLEEN ALS EEN BEEST

— II

1

Haar haren. Daarstraks bewogen ze nog zo zonderling in alle richtingen tegelijk terwijl haar hoofd toch stil en roerloos was. Nu zijn ze op haar aangezicht neergestreken als een vlucht zwaluwen. Ze wippen op bij elke stap en iedere keer wanneer mijn adem haar ogen streelt. Mijn fysieke gesteldheid is beter dan ik dacht. Ik schaam me ervoor het te denken, maar ik voel mezelf een man. Sterk en op weg. Een drenkeling in mijn armen.

Heel ver zijn we nog niet gevorderd. Wanneer ik me omdraai, kan ik nog altijd de barak zien in de verte. De barak waar wij samen naar het onweer keken als naar een speelfilm: zorgeloos, als vrienden. Maar ook de heuvel waarop ik mij besloot te richten komt dichterbij. Ik nader hem als een baken. Evenwel. Het is te hopen dat wij geen verdere obstakels meer dienen te overwinnen. Iets eenvoudigs, als een net te brede sloot bijvoorbeeld, zou al nefast kunnen uitpakken bij gebrek aan wendbaarheid.

Ik hou halt en leg Billie voorzichtig neer. Nog steeds is ze in een diepe slaap verzonken. Ik ga mijn schoenen uittrekken. En mijn sokken. Zo zal ik meer grip op de grond krijgen. Praktisch blijven denken. Ook wanneer de situatie hachelijk is. Dat is mijn kracht. Het zijn goede schoenen.

Geen kwaad woord over die schoenen. Comfortabele instappers. Ze waren niet goedkoop. Ik herinner me de precieze prijs niet meer maar in die tijd was het veel geld. Schoenen voor bijzondere gelegenheden. Maar niet voor deze. En het ware gemakkelijker geweest als ze veters hadden. Dan had ik die aan elkaar kunnen knopen, met een stevige vissermansknoop, en de schoenen zo over mijn schouder kunnen leggen. Die kwastjes zijn te kort. Maar wie heeft die voorzienigheid wanneer hij schoeisel koopt?

Het schemert. De zon is verdwenen. Het voorblijven van de duisternis kan ik vergeten. Het zal moeilijk worden om helder zicht te behouden op de heuvel. Misschien straks, wanneer het helemaal donker is en het licht van de maan niet langer wordt geneutraliseerd door wat rest van de dag. Wellicht dat die heuvel dan opduikt als de grote, donkere schaduw van een reus. Thuis, in mijn geliefde walvis, zijn dit de uren dat ik mijn eenzaamheid omarm zoals ik vroeger God omarmde: als een zegen. Rustig toekijkend terwijl de tijd opschuift, weemoedig en vergevingsgezind. In eenzaamheid hoor je stemmen die je nooit eerder hebt gehoord. En wie aan die stemmen gehoor durft te geven, kan in alle rust kennisnemen van zaken waar anderen bevreesd voor zijn.

Wanneer de zon gezonken is, en we alleen zijn in de nacht, de sterren en de maan ons enige licht. Wanneer we een vlucht zwaluwen zien, die neerdaalt in een bos jeneverbessenstruiken. Wanneer we kinderen zien op een moment dat ze echt kinderen zijn. Wanneer we een oude kikker horen landen in een vijver, en het water spat op. Alleen op deze momenten laat de wereld ons – heel even – zien hoe zij draait en danst. En dat is ook het lastige van de zaak. Het is geen moment dat je kunt delen. Het bestaat alleen wanneer je alleen bent. Het langzame verstrengelen van het licht en het donker, lucht en aarde, het vervagen van de einder, de onzichtbare hand die stofgoud strooit op het hemeldak.

Ik leg mijn schoenen op Billies buik. Ik til haar opnieuw op en zo loop ik verder, barrevoets, als Jezus, de verzonnen zoon, op zijn calvarietocht. Het gras en de aarde spelen tussen mijn tenen en ik moet toegeven: het is op zich niet onaangenaam.

Op een dag heb ik gezegd: ik weet genoeg. Vertel mij niets meer, hou mijn oren schoon, poets je tanden. Ik weet genoeg. Ik weet precies wat ik graag wilde weten. Ik heb geen behoefte aan de waarheid. De waarheid is een schuinsmarcheerder. Een hypocriet. Zo eentje die lacht en beweert dat hij het alleen maar zegt in mijn eigen belang. De waarheid heeft geen belang. Zij bestaat niet eens echt, ze sluipt door ons leven als een dief, een stille zucht – niemand heeft haar ooit gezien. We kennen haar van horen zeggen: dat is de basis van elk geloof.

Ik heb goed nagedacht en ik heb een voorstelling van de feiten gemaakt. Een voorstelling waarin ik niet geloof. Maar waarvan ik overtuigd ben. En ik kan haar plausibel maken. Meer niet. Dat is de positie die ik aanvaard heb. Meer niet. Het geloof is een graf.

Neem nu die befaamde ruis. Hoe gaan zulke zaken in hun werk? Het begint met de een of andere ingezonden brief in de regiopagina's van de krant. Een dame die lotgenoten zoekt. Een wanhopige moeder leest het stuk en meent een spoor te zien. Elk spoor is goed genoeg voor wie de moed dreigt te verliezen. Eén keer is toeval, twee keer is verdacht, drie keer nagenoeg bewijs. Meer is het niet. Iedereen binnen de doelgroep spitst de oren. Op elke plek waar een meisje verdwijnt, blijkt een vrouw te wonen die gisteren nog twijfelde maar het op slag zeker denkt te weten: zij is ook bijzonder.

Die vrouwen mogen van geluk spreken dat die meisjes verdwenen waren. Anders had niemand acht op hen geslagen. Sommigen van die dames waren al járen in de ban van geluiden en visioenen. Inclusief slapeloosheid en paniekaanvallen. De hele santenkraam. Wreed. Zeker. Zulk een fenomeen drijft je tot waanzin. En hoe langer het mysterie aanhoudt, hoe groter je gevoel van machteloosheid en eenzaamheid wordt. De ruis schaduwde die vrouwen als een bijenzwerm. En wie hen aan zag komen, dook weg. En ik, die domme rationele idioot, zelfs ik moet nu met dat fenomeen rekening houden. Net nu, nu alles in mijn leven zeker en in evenwicht was, word ik getest alsof ik een volgeling ben. Zonderling. Zonder de ruis waren die verdwijningen van de laatste tijd incidenten geweest. En zonder de verdwijningen was de ruis niets meer dan een fait divers. Iemand heeft die twee aan elkaar geknoopt, zoals een visser zijn net vlecht – en nu heeft die zieke geest dat net over mij heen gegooid.

Billie. Open toch je ogen. Kijk naar je Ome Lex. Zie hem zwoegen door het gras, als door een moeras. Met zijn naakte voeten trappend in de scherven van zijn leven. Zijn haren plakken tegen zijn hoofd, zijn zweet is een waardig vervanger van het regenwater. Af en toe houdt hij halt en staart voor zich uit, probeert een aanknopingspunt te vinden. Daar, in de verte. Is dat een weg, een weg die ons ten langen leste uit dit eindeloze laagland weg kan leiden? Is dat de heuvel, ons baken van hoop, in het schijnsel van de koplampen van een auto die een streep trekt door de nacht? Hij is moe, Billie. Ome Lex is moe. Maar we zijn er bijna. Dat is de heuvel. Zeker. Ik ga je redden. Zeker. Ik ga ons redden. Het is nog niet te laat. Het is nog hooguit een kilometer. Misschien twee. Of drie. Och.

Als het maar zo blijft. Als we maar geen maïsvelden tegenkomen die pas zijn geoogst, met hun korte harde stoppels. Wellicht niet. Het is te vroeg in het jaar. Ze hebben beslist nog niet geoogst. Ik weet nog hoe wij, kleine mannen, daar 's zomers speelden, in de schaduw van de kerk, hoe we de kolven stalen en de groene korrels eraf schraapten en ja, wat deden wij in feite met die kale kolven? Maar als we zo'n veld tegenkomen, Billie, dan rennen we er samen doorheen. De zoete geur en de lange, weerbarstige bladeren zullen je strelen. Dáár zouden wij ongestoord, blijmoedig kunnen verdwalen. Het zal wel niet mogen zijn. Dan zou ik het nu al waarnemen. Wat een vreemd gebied. Kilometers onbestemde grond. Het gras wordt steeds langer, het is in tijden niet gemaaid of afgegraasd. Mijn pantalon, mijn delicate pantalon, eerst met wijn besmeurd, nu doorweekt met smerig regenwater, tot op kniehoogte. Mijn voeten, onzichtbaar. De grond, zompig. Het maanlicht en de wind tekenen samen lange banen glinsterend zacht licht op de grond, als brede, slome slangen. Of rivieren. Prachtig, in feite.

Water. Het is water. Een sloot? Het is een sloot. O god. Ik loop hier in mijn hemd, op blote voeten, haveloos, nat en vies. Een vagebond met in zijn armen een meisje, een hulpeloos kind en ze wordt maar niet wakker. En daarbuiten roept de wereld moord en brand, daarbuiten staat het schavot al klaar. Die dekselse ruis kijkt op mij neer. Lachend als de duivel. Ik strijd alleen en kansloos. Ik ben een pion in een spel dat wordt geleid door een geest.

Er was niets aan de hand. Ik heb niets gedaan, ik ben alleen maar méégegaan omdat ik haar dromen gunde. Onze kinderen verdienen de vrijheid die wij nooit hebben gehad. Ze hoeven niets opgelegd te krijgen, ze hoeven geen grenzen te zien, ze hebben genoeg aan een wakend oog. Ik ben decent en van goede wil. En dan ook nog dit. Waar heb ik dit aan verdiend?

Het is niet zo'n hele brede sloot. Het water vlak en stil en glanzend in de duisternis, als ijs. Je zou eroverheen willen lopen. Hoe diep zou het hier zijn? Hoe kom ik er weer uit? Hoe kan ik oversteken, de oever beklimmen zonder dat zij uit mijn armen glijdt? Om van mijn schoenen nog te zwijgen. Als ik ze laat vallen. Dat zou funest zijn voor het suède – dat is lastig schoon te maken. Niet doen. Niet aan denken. Ik kan ook een andere richting kiezen, naast de stroom gaan lopen, hopend op een brug of een berm of een versmalling. Maar de heuvel ligt daarginds, in een rechte lijn voor mij, daar moet iets zijn, ik voel het. Ik moet daarnaartoe. Ik wil niet langer dolen. Ik wil een doel. Ik wil eruit. Ik heb geen keuze.

Ik loop een rondje en plet het groen met het stampen van mijn voeten totdat een grote cirkel van platgetrapt gras ontstaat. Ga hier maar even liggen. Arme schat. Ome Lex gaat maar weer eens op een uitweg zinnen.

Zorgvuldigheid. Planmatig te werk gaan. Niks overhaasten. Ik repeteer de woorden als een mantra. Ik mag niet versagen. Me niet uit het lood laten slaan door zoiets futiels als het toeval. Er is niks bekokstoofd. Door niemand. Je moet bij jezelf te rade gaan. Het toeval bij de kladden grijpen. Onvermoeibaar alle tegenslag trotseren totdat het bakzeil haalt.

De maan kijkt op ons neer. Wat moet zij nu zien? Een oude man, in een wit overhemd, moe en bezweet. Hij staat in het midden van een sloot die een eindeloos leeg landschap doorklieft en op de oever ligt een meisje met een paar schoenen op haar buik, de ogen gesloten, te wachten tot de zon weer gaat schijnen.

Het water is niet koud. Mijn voeten zinken weg in wat vermoedelijk waterplanten en slib zijn. Het water stijgt tot aan mijn kruis. Daar gaat mijn pantalon. We zijn te ver gevorderd. Ik mag nu geen fout meer maken. Straks krijg ik al genoeg verwijten, genoeg waanbeelden om tegen te vechten – zorgvuldigheid in de afwikkeling zal voor mij pleiten. Mijn voeten maken zich moeizaam los van de bodem, als zuignappen. Ik waad naar de overzijde. Ik leg mijn handen op de oeverwand, die stevig lijkt. Ik duw mijn tenen erin. Misschien kan ik zo een inham maken, een trede waarop ik mij kan afzetten. Ik probeer het. Ik glij weg, hou me nog net staande. Zo dus niet.

Mijn hoofd steekt iets boven de sloot uit. Ik word omsingeld door gras en water waar muggen op dansen. Rotbeesten. Zonder fatsoen, feestende bloedzuigers, zoemend in koor, als motoren van een eskadron gevechtsvliegtuigen in de nacht.

Ga weg! Daarstraks, toen we vertrokken, was alles aanlokkelijk. Welk een mogelijkheden leek die open vlakte niet te bieden. Maar nu verlang ik naar een straat. Een lange rechte straat. Met een begin en een einde. Hard asfalt zover je kunt zien. Mooie, grote, blauwe borden. Afstanden uitgedrukt in kilometers. Ik wil een straat.

En Martha. Als zij mij nu zou zien. Arme, arme Martha. Die ongewild kwaad met erger heeft bestreden. En nu moet denken dat er gebeurt waar ze al die tijd op zat te wachten. Haar wakende engel staat tot aan zijn kruis in het midden van smerig water.

Ik weet wat ze dáárvan zou zeggen: *een schoon zicht.*

Ik heb Billie verplaatst. Ze ligt nu parallel met de sloot, vlak bij de oever. Voor even hoop ik dat ze niet ontwaakt. Straks rolt ze erin, van de schrik.

Ik laat mezelf opnieuw de sloot in glijden, traag, tot mijn voeten de bodem weer raken. Mijn kleren zijn allang vies. Dat is een gedane zaak. Zelfs als ik hier ooit uit kom, zal ik ze nooit meer dragen. Ik zal ze verbranden of in de vuilcontainer gooien. Deze kleren gun ik zelfs een dakloze niet.

Ik schuif mijn armen onder Billie, til haar op, stabiliseer mijn schoenen met mijn kin, en draag haar behoedzaam naar de overzijde, waar ik haar op de oever neerleg. Dan klauter ik uit de sloot. Het is niet eenvoudig. Niets is eenvoudig. Ik probeer houvast te vinden aan verwilderde struiken.

Piepend komt het spel tot een einde. Billie leunt met haar rug tegen de trampoline. Een ontblote schouder laat zien dat haar beha bij haar cap past. Ze rekt zich uit als een kat, steekt haar lange bruine armen in de lucht. De pluisjes stijgen op, alsof ze worden aangetrokken door een magneet, raken haar handen, zweven tussen haar gespreide vingers door. Dan laat ze haar armen zakken en draait langzaam haar hoofd in de richting van Ome Lex. Nu kijkt ze hem aan.

Ze zegt: 'Mmm, lekker.' En terwijl ze naar hem kijkt en lacht, en haar ogen vanonder haar wimpers naar hem lijken te willen luisteren, trekt ze zachtjes aan haar sjaal. Tot hij strak om haar nek zit.

Ome Lex staat op en loopt tot bij haar, langzaam, behoedzaam. Als wij hem inmiddels niet beter zouden kennen, zouden we kunnen zeggen: als een panter.

Billie kauwt nog steeds. Ome Lex kijkt haar vragend aan.

Ze zegt: 'Ik eet eigenlijk nooit jappekes; maar nu weet ik weer waarom.'

Ome Lex probeert zijn lach vragend te laten klinken. Hij wacht op de clou die hier overduidelijk in het spel is. Het heeft er toch alle schijn van. Hij moet er zo aan komen. Dus Ome Lex zwijgt en lacht, vragend. Maar Billie zegt niks. Ze kijkt hem kauwend aan. De zon valt precies in het putje tussen haar hals en sleutelbeen. Zijn ogen dwalen af.

Ze heeft hem. Hij geeft toe.

'Aha. Waarom?'

'Mja,' zegt Billie. 'Ik vind het eigenlijk niet zo lekker.'

Ze haalt een nieuw stuk snoep uit haar broekzak en begint er rustig op te sabbelen. Ome Lex kijkt omhoog, recht in de zon, knijpt zijn ogen dicht om het felle licht te verwerken. Er hangen dingen in de lucht. Hij voelt het. Hij hoeft ze er alleen maar uit te plukken.

2

Als een fuut die al geruime tijd onder het wateroppervlak naar voedsel heeft gezocht, duikt ze op: de verleiding om de gebeurtenissen niet langer als toeval te zien. Het zou een formidabele fout zijn eraan toe te geven. Ik moet nu niet verzaken. Dit is in het bijzonder een moment om omwrikbaar achter mijn zelfgecreëerde beeld te blijven staan, die prachtige roos die ik met zoveel zorg heb omringd, dat ze tot aan de hemel reikt. Maar vanachter haar ranke stengel bezaaid met doornen, die de dwazen op afstand moesten houden, verschijnt nu, omzichtig, een man die sterk op mij lijkt, en nieuwsgierig om zich heen kijkt.

De familie die in het huis is achtergebleven. Hoe zij nu moeten jammeren en foeteren op hun ongenode gast die zo schielijk verdween, hun kostbaarste bezit aan de hand. Ik ben al duizend keer gelyncht. Mijn foto hangt al op het politiekantoor. In de supermarkt. Op het perron. En Martha, die mijn hulp inriep om de angst en het schijngeloof uit haar hoofd te verdrijven. De medeplichtige! Dat ik haar in deze positie breng. Dat ik, uitgerekend ik, die zich erop voor laat staan de dingen te kunnen zien zoals ze zijn, in dit lastige parket verzeild ben geraakt. Verstoken van de mogelijkheid de werkelijkheid met anderen te delen. Kan dat ook toeval zijn?

Vorige week, aan de telefoon, zei Martha het nog: 'Het geluk wiegt de mensen in slaap, Lex. Net wanneer alles altijd goed blijft gaan, moeten we waakzaam zijn. Er is altijd dat ene zwakke moment, waarop geluk overmoed blijkt te zijn. Een moment dat het noodlot kent als geen ander. Zodra de mensen ook maar even indommelen, slaat het toe.'

Een wrede gedachte eigenlijk, en tegelijkertijd een aandoenlijk geloof. Het toeval houdt met niemand rekening. Je kunt het niet bestrijden. En dus storten de mensen zich maar op iets wat niet bestaat. Ironisch.

Arme Martha. Wachten op het bericht dat wat je vreesde werkelijkheid is geworden. Wachten op slecht nieuws waarvan je weet dat het komt, dat het zeker komt. De tijd die niet meer verstrijkt omdat je zelf verlamd bent. Bewegingloos. Wachten. Vreselijk. En allemaal voor niets.

Het is mijn schuld. Nee, het is de schuld van de ruis. Zoals die vrouwen de ruis horen, zo spelen hersenschimmen door de hoofden van de mensen. Redelijkheid. Logisch blijven nadenken. Wie dat doet wordt verketterd als een heiden. Dat blijkt nu wel.

Hindernissen in praktijksituaties mogen mij niet afleiden. Er is niets, Lex. Er is niets aan de hand. Niets, dat niet hersteld kan worden door een mensenhand.

En ja natuurlijk zag ik haar graag dansen. En ben ik achter haar aan gerend als een bronstige beer. Haar lach was een uitnodiging. Wellicht zag het er onwelvoeglijk uit. Hoe heb ik zo het zicht kunnen verliezen, het zicht op hoe de dingen werkelijk zijn? Zie mij hier lopen. Alsof ik mezelf heb ondergekotst. Een landloper die in een dronken bui een jong meisje heeft...Verduveld.

En dan die stilte. Nu ja, echte stilte. Ik hoor mezelf. Mijn voeten en benen die het gras doen ritselen. Mijn ademhaling, piepend, bij iedere teug lucht. De zachte bries die mijn oorschelpen streelt en doet suizen. Mijn hart dat klopt en mijn borstkas doet trillen. De wrijving van mijn kleding tegen de hare.

Daarstraks was alles duidelijk. Ik zat op mijn stoel, ik had mijn glas wijn, en de mensen liepen af en aan, en door elkaar. Hun woorden en daden niets meer dan een middel waarmee ze hun gedachten verborgen. Ik heb het zo vaak mogen zien. Het ontkennend knikken. De gekwetste lach. Het fanatiek verdedigen van twijfels. En ik hoefde enkel toe te kijken. En maar prikken, en maar dingen 'doorzien'. Als een helderziende. Die discusie over de ruis ook. Kijk, zei ik tegen mezelf, dat is toch typisch. Ze ontkennen hardop het bestaan van de vijand, en tegelijk houden ze te allen tijde hun hand aan het pistool terwijl hun ogen nerveus de omgeving afspieden, beducht voor elke hoek van de straat waarachter hij schuil kan gaan. Ze wíllen het zien. Ze hebben het nodig, om samen te kunnen zijn. Daar heb ik niet voor gevochten, om lid te worden van een leger dat tegen geesten ten strijde trekt. Daar doe ik niet aan mee. Ome Lex weet hoe die dingen werken. Straks wanneer die enorme ballon eindelijk knapt, zullen ze met veel misbaar hun handen op hun oren zetten, hun ogen wijd opengesperd en zeggen dat Ome Lex gelijk had. Dacht ik. Nu ben ik niet zo zeker meer.

Ga boven de situatie hangen, als een valk. Een terecht genegeerde opmerking. Dwaas. Een dwaze gedachte. Zelfs al kon een mens het leven doorzien, dan nog bleef hij van vlees en bloed.

Waarom verlangen de mensen zo naar een oorzaak, een verklaring? Vanwaar komt het verlangen om grip te krijgen op de gebeurtenissen in het ondermaanse? Is het niet zo dat de kans op een ontmoeting met het noodlot hierdoor alleen maar groter wordt? Zoals een kind dat leert fietsen met een helm op, voor altijd bang is om te vallen, en de behendigheid mist om zich te redden in het drukke verkeer. Men is bereid tot kolderieke toegevingen ten aanzien van de realiteit. Men stelt zijn fantasie in dienst van kortstondige gewetensrust. Het verlangen naar een beter leven wordt onderdrukt door de angst het huidige te verliezen. Het houdt de mensen klein. De tralies om hun huizen, de sloten op hun deuren, het brengt allemaal geen soelaas. De blik in hun ogen is het spiegelbeeld van hun verlangens. Het is penibel.

Als ik het toeval was, ik zou mij deze dagen vreselijk miskend voelen. Maar ik ken het mechanisme dat geloven is en ik ondervind nu hoe het aan je blijft kleven en alle wilskracht uit je lijf zuigt. Ik moet volhouden.

Billie ligt in mijn armen. Af en toe lijkt ze te glimlachen. Ik voel me leeg. Alsof een deel van mezelf met haar is meegereisd naar een plek die niemand kent.

Billie en Ome Lex staan aan de rand van de weide als aan de oever
van een brede rivier. De wind beweegt het gras als wier, dat rimpels
maakt in het oppervlak. Wat moet een man doen, waarom staat
zij hier, bij hem, als een kat op zoek naar een bordje melk?

'Welk idee?' vraagt Ome Lex.

'Het koor,' zegt Billie, 'Ik ging een koor oprichten, weet je wel.'

'Aha. Ja,' zegt Ome Lex. 'Het koor. Ja, dat moet je doen.' Hij weet
het niet.

'Oké, super,' zegt Billie. 'Ik had net nog een lied bedacht, wil je
het horen, het is nog niet helemaal af.'

En Billie zingt, opgetogen, vervangt de missende woorden door
'lalalalala', terwijl ze schuin omhoogkijkt, naar Ome Lex, die voor
zich uit kijkt, rook uitblaast, de rivier overziet, op zoek naar door-
waadbare plekken.

'En, wat vind je ervan?' vraagt Billie.

'Ja,' zegt Ome Lex. 'Mooi. Goed. Hoe lang woon jij eigenlijk al,
ehm, hier?'

'O, altijd al,' zegt Billie. Ze zucht. Dan, op het zeurderige toontje
waar meisjes van haar leeftijd op lijken te oefenen, zo goed beheersen ze dat toontje, als een rijmpje dat ze te vaak hebben gedicht:
'Papa zegt dat ik aan hem en mama verscheen als een engel, ik
kwam uit de lucht neergedaald, en iedereen was o zo blij om mij te

zien. Behalve als hij weer 'ns slechtgezind is natuurlijk, dan ben ik een vondeling die het weeshuis in de uitverkoop had gedaan omdat niemand mij wou.'

'Aha,' zegt Ome Lex. 'Een engel.'

'Tja,' zegt Billie. 'Wij zijn thuis niet eens katholiek.'

'O,' zegt Ome Lex. 'Maar dat hoeft niet. Engelen komen voor in bijna alle grote religies. Islam, christendom, jodendom. Ze duiken, geloof ik, voor het eerst op in de Egyptische mythologie.' Hij zegt het achteloos, gedachteloos, zonder de blik af te wenden van de groene golven voor hem. Aan de horizon lijkt de weide omhoog te lopen, naar een heuvel toe – het is moeilijk te zeggen maar dat is wat Ome Lex denkt te zien.

'De wat?'

'Egyptische mythologie. Oorspronkelijk waren het een soort van lieftallige monsters; leeuw, vogel en mens in één.'

Billie zucht opnieuw, kijkt om, in de verte sterft het orgel van de ijskar uit.

'Ik verveel mij hier.'

Maar Ome Lex gaat onverstoorbaar verder.

'Over het algemeen zijn engelen boodschappers die de mensen waarschuwen of een bericht van God of Allah brengen. Ze zien alles wat je doet, overal.'

'Dus ze zien ons ook? Jou en mij, nu?' vraagt Billie afwezig.

'Als je in engelen gelooft wel, ja,' zegt Ome Lex. Hij kijkt Billie aan. Ze beginnen allebei te lachen. 'Overigens kunnen ze ook mooi zingen, net als jij.'

'Ja, hé,' zegt Billie, opnieuw alert. 'Het is een goed idee, hé. Een engelenkoor. Dat door de straten zwerft en mensen blij maakt. Een zwervend koor. En overal waar wij komen, stoppen de mensen met zeuren over onbelangrijke dingen.'

'Onbelangrijke dingen? Zoals?'

'Of je op tijd thuis bent, en wie de afwas doet en waarom ze wel of niet zijn uitgenodigd voor een feest.'

Ome Lex knikt.

'Ik weet het niet,' zegt Ome Lex. 'Het is het proberen waard.'

'Het zwervend koor,' zegt Billie.

'Het zwervend koor,' herhaalt Ome Lex.

3

Eindelijk zijn we bij de uitgang van die verdomde polder aangekomen. En in het hek zit een poortje. Geen slot. Er zit geen slot op. Ik kan wel huilen van geluk. Niet langer opgesloten in oneindige weidsheid. De eenvoud van een vrije doorgang.

Voor mij ligt een echte weg, en aan de overkant van die weg: de heuvel. Stil. Donker. Dreigend als een altaar.

Nat grind streelt mijn voeten, als zijde, zozeer ben ik vervuld van vreugde. En wat nu? Welke kant moeten we op? Dat interesseert mij geen zier, voor heel even. Ik heb een weg. Een route die we kunnen volgen. Iets anders dan de maan of de sterren. De heuvel ligt niet langer in de verte, maar dichtbij: drie stappen, misschien vijf, en we kunnen onze handen op haar flanken leggen. Hier zijn we, heuveltje, ons driftend schip is eindelijk bij zijn reddingsboei aangekomen. De horizon die de laatste uren – of waren het minuten? – steeds kleiner werd, wordt nu bijna geheel aan het zicht onttrokken. Bizar. Zo'n bult, midden in de vlakte. Hier en daar wat struikgewas, vanaf de voet tot boven, verspreid tussen kort gras als vlaggen. Zonderling.

Ik steek de weg over. Het is vermoedelijk van dat lichtbruine grind. Moeilijk te zeggen, 's nachts, wanneer alles is verpakt in tinten grijs. De grond is hier droger, droger dan in de weide, alsof het hier helemaal niet geregend heeft. Apart. En wat is die geur die ik gewaarword? Die smeulende, vochtige walm. Vuur? Ik volg de voet van de heuvel, loop eromheen. Even poolshoogte nemen. We zijn niet gehaast. Alles is te doen voor wie niet op de tijd let. Voor zover die mij nog rest.

Daar. Die struik. Billie, kijk. Een heester. Of een conifeer. Bessen, wellicht. Het is mij onduidelijk. Welke soorten kun je verwachten aan de voet van een heuvel midden in de weilanden? Veel schiet er niet van over. Het was een flink uit de kluiten gewassen struik, dat zie je aan de dikte van de stam, de verkoolde resten op de grond. Hier en daar nog een vlam, niet groter dan kaarslicht. Donkere, kale takken. Merkwaardig.

Even zitten. Het is wellicht verstandig om nu mijn schoenen weer aan te doen, voor het laatste stuk. Laat ons hopen dat we daar zo dadelijk aan gaan beginnen. Ik leg Billie zachtjes neer, misschien voelt ze iets van de warmte van het vuur. Veel zal het niet zijn. Mijn sokken zijn droog. Mijn voeten vuil en vochtig. Hoe ga ik dat doen? Ze zullen stremmen, die sokken. Aan mijn voeten blijven plakken als kauwgom. Ik rol die sokken op zoals mijn moeder placht te doen, tot ik met mijn duimen de punt strak kan trekken en ik ze in één beweging over mijn tenen kan schuiven. Wacht. Eerst het zand en de kiezels van mijn voetzolen vegen. Zo. Zo moet het lukken. Het is nauwelijks te geloven hoeveel moeite alles me op dit moment kost.

Billie. Af en toe licht haar gezicht op wanneer een kleine vlam vers hout likt. Ik trek mijn schoenen aan. Zie je dat? God? Zie je dat? Onbestaand opperwezen? De struik brandt en ik doe mijn schoenen aan.

Laat ons nog even blijven zitten. Krachten sparen. Een sigaret.

Ik leg haar hoofd in mijn schoot. Waarom wordt ze toch niet wakker? Ik verlang naar haar ogen, de ogen die mij doorzichtig maakten, vanmiddag, toen ze daar zat op de trampoline. Ogen die vermoeide mannen verse krachten kunnen geven.

Ik blaas de rook uit, die zich vermengt met de walm van de smeulende takken. Af en toe een luide knak. Een geweerschot. Ik laat mijn wimpers voor mijn ogen zakken en staar in de kleine vlammen. Ze lachen me uit, uitdagend. Handlangers van mijn treitergeest.

Aan deze zijde van de heuvel is de einder opnieuw in zijn volle breedte zichtbaar, alsof er daar mensen op ons wachten met brandende aanstekers of kaarsen in de hand zoals tijdens een concert, of een stille tocht door de stad. Zo ver hoeven wij niet te gaan. Tenminste, dat hoop ik niet. En ik denk ook niet dat we worden opgewacht met zwaailampjes en gelukzalige blikken.

Maar als er dan toch iemand terecht moet staan, dan liefst van al een mens. Een man die schuldig bevonden kan worden – dat is het medicijn voor elk waanbeeld. Het is een weliswaar schrale troost. En ik begrijp die vrouwen ook wel. En de mensen die hen en de ruis ernstig nemen. Een wetenschappelijke verklaring is hoogst onwenselijk voor wie van zijn trauma eindelijk een levensvervulling heeft weten te maken. Zo gaat het altijd. Een gezicht. Het kwaad heeft een gezicht nodig. En zolang dat achterwege blijft, wordt er hoop geput uit het strijdvaardig bundelen der krachten. Petities, brieven. Talkshows en debatten.

Wat zal er van die vrouwen worden zonder dat hun fanatisme wordt gevoed door experts die hun geloof ontkennen, zonder burgemeesters die tot rust manen en journalisten die hen subtiel belachelijk maken? Wat zullen ze doen wanneer ze niet langer verbolgen kunnen zuchten?

Die wetenschapper, vanmiddag, op de radio, vergeleek hun verhaal met het huilen van een baby of het gesis van een slang. Onze hersenen zouden getraind zijn om de enorme hoeveelheid auditieve data te filteren en de schadelijke elementen te onderscheiden en net omdát je denkt iets te horen, wordt het geluid versterkt in je hoofd. Goed gezien. Waarom vertrouwen de mensen niet op de natuur? Een reflex van ons brein. Dat was alles. We moeten ons niet gek laten maken. Maar we willen het zo graag.

En nu zit ik hier, het hoofd van een meisje in mijn schoot. Niemand heeft op Ome Lex gerekend.

Billie lacht opnieuw. Ze lijkt zo ver weg. Ik heb niet het idee dat ze buiten bewustzijn is. Ze lijkt eerder te dromen, op reis in haar gedachten. Af en toe wiegt ze haar hoofd, nauwelijks merkbaar, en beweegt haar lippen. Zoals nu. Ze lijkt iets te zeggen. Ik kan het niet verstaan. Zingt ze? Billie, ben je wakker? Billie? Ze is niet wakker. Ze zingt. Ze zingt en ze lacht. Markant. Hoogst opmerkelijk. Een mij onbekend lied. Flarden zijn verstaanbaar. Ze zingt hoog en hees.

... bijenzwerm... als een hartenkreet...
... de droom... als je de slaap niet kunt vatten...

Wat zingt ze toch?

Haar stem wordt zachter, sterft weg, alsof ze zich van mij verwijdert, zingend. Ik zou haar willen vergezellen, ik wil zijn waar zij nu is. Onwetend en hoog in de wolken. Dat is het voordeel van het slachtoffer. En ben ik niet evenzeer een slachtoffer hier? Een speelbal van een onbestaande kracht die een complot heeft gesmeed met de verbeelding van de mensen? Een donkere dreigende schim, die nu met mij versmelt, omdat ik de schijn tegen heb. Ik bén de ruis.

Iedereen verlangt naar mij. Ik hoor al hoe ze zich jammerend wentelen in hun eigen gelijk. Ik zie de sluier die in hun hoofden speelt en hun gezonde verstand verblindt. Ik ben bang. Frappant. Hoe deze machteloosheid mij bang kan maken in plaats van berusting te brengen. Concentreer je, Lex, concentreer je. De dingen zullen gaan zoals ze gaan. Geduldig wachten en meegaan met de stroom die altijd komt, altijd komt...

Ik zou bij mijn moeder in bed willen kruipen, zoals ik dat als kind deed, opdat ze mij zou beschermen en troosten en ik vredig kon dromen terwijl zij naar het plafond staarde.

Martha zegt dat ik het onmogelijk kan begrijpen.

'Ge moet u niet zo druk maken, Lex. Gij weet niet hoe dat is. Het begint wanneer uw eerste kind wordt geboren.'

De tranen die ik op televisie zag vloeien, het machteloze verdriet van de vader en de moeder tegen de achtergrond van die witte villa waar twee auto's voor stonden geparkeerd. Hun vermoeide gezichten dansen door mijn hoofd. Ik had gemeend een bepaald schuldgevoel in hun wanhoop te herkennen. Een bepaald besef. Dat ze het niet goed hadden gedaan. Dat was wellicht ongepast. Maar het neemt niet weg dat de kans bestaat, dat die meisjes de engelen van deze tijd zijn, hun boodschap verspreidend, niet door te verschijnen, maar door te verdwijnen.

Het drama is slechts wat de mensen ervan maken. Omdat ze het nodig hebben, omdat angst hen samen houdt, misschien wel meer dan liefde doet. Angst om alleen te zijn, angst voor wat betekenisloos is. Wie zonder angst leeft, is een paria, net zoals mensen die roken. Het is plausibel. Maar moeilijk te verkopen.

Ik schrik. Alsof ik zat te dagdromen en iemand mij op de schouder tikt. Ik zie de gedoofde peuk die naast mij ligt.

Hoe lang zitten we hier al? We moeten gaan. Billie, we hebben weer een weg. We zwerven niet meer. Wij marcheren, wederom. Moedig voorwaarts! Als Billie mij niks kan vertellen, als ik haar niet kan vergezellen, dan moet ik weer verder. Mijn voeten doen pijn. Ze zijn niet meer gewend aan de pasvorm van mijn schoenen. Opgezwollen, vermoeid. Maar ik zet er flink de pas in. Ik voel hoe het spierweefsel in elkaar wordt gedrukt en dan weer uitzet, met elke stap die ik neem. De aders die boven op mijn kuiten liggen, bol en strak. Mijn hart bonst zo luid dat het vanaf grote afstand te horen moet zijn. En mijn hoofd is leeg, slechts ontvankelijk voor zintuiglijke prikkels. De geur van het regenwater dat opdroogt – ik had er mij op verheugd, maar nu krijgt die geur iets onheilspellends, dreigends. Ik zal nooit meer kunnen genieten van de zomerregen die verdampt, niet zoals vroeger. Mijn blik is gericht op de weg die voor mij ligt. Met elke stap dichter, dichter bij wat? En al die tijd ligt Billie in mijn armen, als een offer, haar hoofd tegen mijn schouder, haar voeten bungelend, krachteloos. De vingers van haar linkerhand zijn tussen de voorsluiting van mijn hemd gegleden en klemmen de stof vast, trekken die strak naar beneden, de boord plakt tegen mijn nek, soms voel ik haar nagels tegen mijn borst. Ze klampt zich aan mij vast in haar dromen. Het besef geeft mij nieuwe krachten.

Als ik de juiste keuze heb gemaakt, lopen we nu niet langer in de richting van de zee, maar wel parallel aan de kustlijn. De weg is circa een halve meter boven de polder verheven, zoals zo'n smal podium bij een modeshow waar mannequins over paraderen. Maar dan honderden meters, kilometers lang, zonder applaus of het flitsen van camera's. Geen felle lampen die mijn weinig elegante zwoegen accentueren. Slechts het flauwe schijnsel van de maan. Het huis moet ergens aan onze rechterzijde liggen. Mijn hoop is dat deze weg uitkomt op een asfaltweg, daarginds in de verte, achter die donkere silhouetten van bomen – tenminste dat denk ik, dat moet ik maar denken. Ik herinner me dit soort paden. Ik heb ze gezien toen ik naar het huis reed, vanmiddag, toen ik nog een nonkel was, een oom, zo'n plezante, die van krabbels tekeningen maakt, die zijn beperkte oeuvre met zoveel *aplomb* kan doen weerklinken. Een charlatan! Zullen ze zeggen. Een charlatan die eerst nog vrolijk op de piano zat te timmeren. Alsof ik een keuze had. De waarheid is dat ik mezelf haat op dat soort momenten. Ik heb die rol ooit zelf bedacht. Dat is waar. Ik ken de kneepjes en de grappen en de situaties waarin ze passen. Het maakt mij onverdacht en ooit kwam dat goed uit, maar nu ben ik moe. Niets doet er nog werkelijk toe. Zoals ik daar zat, hoe mijn vingers over de zwarte en witte toetsen dansten. Een personage uit een roman, een berekenende antiheld die als een vermoeide circusartiest met zijn eigen opportunisme en kwetsbaarheid jongleerde ter vermaak van het publiek. Waar komt dat personage vandaan? Die clown. Waar komt die toch steeds vandaan, iedere keer wanneer een gezelschap zichzelf tot publiek promoveert? Ik had me voorgenomen niets opvallends te doen. Ik was daar slechts om Martha gezelschap te houden, om haar gerust te stellen, dat is alles, dat is het hele verhaal. Maar ik zit klaarblijkelijk gevangen in een lichaam met andere plannen.

Ik had om te beginnen niet moeten gaan. Niet naar dat feest, niet naar Martha, indertijd. Dwaze uil. Zie mij hier lopen. Alles waarin ik geloofde heb ik weggegooid. Alles waarin ik geloof, heb ik zelf ontdekt, zelf ervaren. Al mijn kleine mislukkingen heb ik samengesmeed tot een nieuw bestaan en ik dacht dat ik er was. Zie mij hier nu staan: lelijker, triestiger, lachwekkender dan alle mensen die zich vastklampen aan iets gigantisch van horen zeggen.

Ze liggen op hun rug, naast elkaar in het gras en staren omhoog.
Billie heeft paardenbloemen geplukt. Hoog in de lucht komt een vo-
gel aanvliegen, als een vis die blinkend door glinsterend water
schiet, en steeds grotere cirkels in het hemeldak beschrijft. Billie
blaast. De pluisjes dansen even boven haar, als sterren, en worden
dan meegenomen door de wind.

'*Ze zeggen dat het heelal dertien miljoen lichtjaren groot is.*
Maar wat ligt er áchter het heelal? Dát zou ik weleens willen we-
ten,' zegt Billie.

'*Dat weet niemand,' zegt Ome Lex. 'En het is wellicht ook niet*
wenselijk.'

'*Ja, want dan zouden we ook willen weten wat dáárachter lag.'*
'*Iets dergelijks.'*

'*Wat is dat?' vraagt Billie, en ze wijst naar de vogel die nu hevig*
met de vleugels klapperend, recht boven hen blijft hangen.

'*Dat is een valk,' zegt Ome Lex. 'Zie je dat? Hij gaat niet voor- of*
achteruit. Bidden, noemen ze dat.'

'*Bidden? Straks valt hij ons aan.'*

'*Dat lijkt me erg onwaarschijnlijk. Hij kent ons niet. Een valk*
vreest wat onvoorspelbaar is.'

'*Er kan van alles zijn in het heelal achter het heelal,' zegt Billie.*
'*Misschien wel engelen. Of monsters. Weet je wat je moet doen als je*

oog in oog met een monster komt te staan?'

Ome Lex zwijgt even. Dan zegt hij: 'Vechten?'

Billie schudt het hoofd. 'Een liedje zingen.'

Ze grijpt naar een pluisje dat boven haar is blijven hangen, alleen, terwijl de rest allang vervlogen is. Ze geeft een paardenbloem aan Ome Lex.

'Als je ze er in één keer allemaal af blaast, dan word je honderd jaar,' zegt ze.

'Dat valt niet te hopen,' zegt Ome Lex. Hij neemt de paardenbloem aan, houdt ze voor zijn mond en blaast zo hard hij kan.

En zo geschiedt wat moet geschieden. De valk vliegt voort, ver boven hun hoofden, veel hoger dan de mensen kunnen komen, in het spiegelbeeld van de nacht. Wat ziet onze gevleugelde vriend? Wie kan zijn hoongelach horen? Wie ziet de mensen en dingen wanneer hij er niet is?

Thomas neemt zijn bril af en houdt hem voor zich uit. Door de glazen heen kijkt hij in de spiegel, die boven het bed aan de muur hangt. Er moet een invalshoek zijn, denkt hij. Een standpunt ergens in deze kamer van waaruit wij alle drie tezamen te zien zijn, ingekaderd als een familiefoto. Hij glimlacht. Het is stil en donker. Alleen het zachte zuchten van haar adem die langs de lakens de kamer in drijft en het flauwe schijnsel van een lampje, verborgen in het hart van een plastic bambihert dat naast het bed ligt te waken. Hij voelt Isabelle, die naast hem zit en met haar arm de zijne raakt, hij herkent haar geur; een zoete, zachte herinnering. Ze ziet er moe uit, zoals altijd. Alleen wie haar vroeger heeft gekend, kan haar schoonheid zien.

Thomas denkt na.

Over het kind, als enige onberoerd op deze dag, als een

veilige haven. Haar onschuld. Hoe hij en zijn broer en zus als kinderen waren. De beschermende vetlaag die hun jeugd was.

Hoe Isabelle indertijd vertelde dat ze zwanger was en dat de dingen beter konden blijven zoals ze waren.

Niets blijft ooit zoals het is.

Het kind slaapt diep, haar oogleden als een sprei over haar dromen gedrapeerd, ongerepte kinderdromen. Een sneeuwlandschap. Visioenen van het leven waarnaar de ongelukkigen verlangen wanneer ze de slaap niet kunnen vatten.

Niets komt zo dicht bij geluk als kinderen die slapen. Vooral meisjes.

De mensen zijn jaloers op de vergeetachtigheid van de kinderen en hoe ze zich de ernst van bepaalde situaties niet realiseren, in de wetenschap dat dingen waar kinderen van nature goed in zijn wel belangrijk móéten zijn, om te kunnen overleven. Dat is het mooie van één, twee, drie jaar oud zijn – er is nooit verwarring, alleen vreugde en verdriet. En honger. En kaka.

De mensen kijken toe, proberen zo dicht mogelijk bij het kind te blijven. Ze wenden hun blik af wanneer iets ongewensts in hun zichtveld opduikt. Alles wat ze doen, doen ze uiteindelijk om zichzelf terug te vinden zoals ze lang geleden waren. Maar hoe aanlokkelijk die gedachte ook moge zijn, niemand kan ooit terug. Dus alles wat de mensen willen is niet sterven, en dat hun kinderen blijven zoals ze waren toen ze één, twee, drie jaar oud waren.

Wellicht is dat wat iedereen bang maakt. We klampen ons vast aan dingen waarvan we weten dat ze zullen verdwijnen. Het is moeilijk om gelukkig te zijn wanneer je machteloos bent en tegelijk is het onze enige kans. Alles voor de liefde, zo zeldzaam als buitenaards leven.

'Ze is zo mooi,' fluistert Thomas. Isabelle knikt.

'Je moet eerlijk tegen haar zijn,' zegt Thomas. 'Ben je eerlijk tegen haar?'

'Ja,' zegt Isabelle.

Thomas denkt aan een paar dagen geleden, hij reed met de trein naar de stad. Achter hem voerden een moeder en een kind een gesprek.

'Een salto lijkt me fantastisch maar dat kan niet iedereen,' zei het kind.

'Och,' zei haar moeder. 'Zo moeilijk is het nu ook weer niet.'

'Een salto? Kunt gij een salto?'

'Ja, ja,' zei de moeder.

'Echt?'

'Ik kan een salto,' zei de moeder.

'Doe 'ns voor dan.'

'Poeh,' zei de moeder. 'Zo, hier, in de trein? Dat gaat natuurlijk niet. Maar het is niet moeilijk.'

Thomas had omgekeken. Het kind beantwoordde zijn blik, keek hem recht in de ogen. Hij had willen roepen: geloof haar niet, ze kan het niet, kijk naar haar, het is werkelijk waar fysiek onmogelijk, daar zijn mensen op afgestudeerd en kijk, we vliegen tegenwoordig naar de maan, tenminste, dat deden we ooit wel, dus we weten wat ervoor nodig is om de zwaartekracht te omzeilen maar zij niet, zij is slechts je moeder en ze liegt, ze liegt, ze liegt en een moeder die liegt tegen haar kind, dat is de hel.

Ze waren verder gereden, langs velden, flatgebouwen, wegen. Hij geniet ervan om het leven van andere mensen te kunnen bekijken vanachter glas, terwijl hij zelf in beweging is. Alles ziet er dan zo vredig uit. Twee mannen speelden tennis op een sportveld. Heerlijk, had Thomas gedacht. Lekker buiten. Pas veel later had hij bedacht dat die mannen naast een spoorlijn stonden te tennissen, in het gedonder van de treinen die langsreden.

Thomas kijkt naar de grond, hij ziet Isabelles voeten, over elkaar geplooid. Hij denkt aan haar benen, die hij heeft aangeraakt, ooit, opgetild, vastgehouden terwijl zijn heupen de hare tegen een muur duwden, op en neer, op het ritme van de basdreun van een karaoke die de glazen in hun sponningen deed trillen boven haar hoofd, dat af en toe de muur raakte en dan opende ze haar ogen, sloeg haar armen nog dichter om hem heen, duwde haar lippen in zijn nek. Niet doen. Niet aan denken.

Iedereen in dit huis, en alles wat ze weten en hebben gedaan, ze zullen er altijd zijn. En ze mogen denken dat ze de dingen in de hand hebben en dat niets hun kan ontgaan. De realiteit is: wat men je niet aandoet, dat overkomt je. Ze worden gedwongen tot begrip, door de tiran die hun bloedband is. Verzet is even zinloos als lachwekkend.

Thomas voelt zich geen gevangene meer. Hij zet zijn bril weer op. Hij is de toeschouwer die zich afkeert van gebeurtenissen die anderen door de vingers glippen als een glad sardientje.

In de keuken klampen druppels zich vast aan het raam, moedig weerstand biedend aan de zwaartekracht – totdat een minder wilskrachtig exemplaar ze meesleurt op zijn tocht naar beneden. De Weduwe kijkt ernaar, hoe ze samensmelten, afdalen, en een dunne waterbaan op het glas tekenen. Het is een eeuwig schouwspel, gevoed door het regenwater dat via de muren op het raamkozijn vloeit. Dan ziet ze zichzelf, haar gezicht, weerspiegeld in het huilende glas, als een herinnering.

Ze hoort de deur dichtslaan. Ziet Martha, die op het terras voorbij het raam schuift als een schim, haar lichaam vervormd door het regenwater. De Weduwe kijkt naar het koffieapparaat op het aanrecht, de pot halfleeg. Ze zet het toestel uit.

Ze heeft niet geslapen. De hele nacht heeft ze aan tafel gezeten. Ze keek door het raam, glimlachte om de slapenden om haar heen die de lucht zwaar maakten.

Tot ze Martha op de bank zag bewegen, en haar oogleden begonnen te trillen. Ze was opgestaan en naar de keuken gegaan, om de koffie op te warmen. Veel hadden ze niet gezegd tegen elkaar. Martha leek niet ongerust. Eerder gelaten. Alsof ze het al die tijd had verwacht.

De Weduwe denkt aan hoe Martha haar dochter in de armen had genomen. Als een mechanische pop. Zelf had de Weduwe zich geschaamd voor de opluchting die door haar lichaam golfde bij het horen van Hildes gejammer en kreten. Het was niet juist. Ze wil er niet trots op zijn. Maar ze kon het niet helpen. Ze is het beu de enige te zijn, en ook dat is gemeen. Ze telt zijn broer en zijn vader niet mee. Nooit gedaan. Ze waren de gratis gadgets die ze er ongevraagd bij had gekregen. Ze wilde alleen zijn, maar nu niet meer. Daarom was ze wakker gebleven. Ze had gezegd dat er toch iemand moest zijn om Billie op te vangen wanneer ze terug zou komen. Maar ze wilde het voelen, ze wilde weten hoe het was om niet meer de enige te zijn.

Aan het begin van de middag, toen ze op het feest aankwam, had Hilde haar gevraagd waarom haar zoon er niet bij was. Ze had gezegd dat ze hem vertrouwde, dat hij nu oud genoeg was. Hilde had geantwoord dat Billie even oud was.

De Weduwe is niet gek. Ze weet dat het ongeluk overal is, als de lucht. Ze is niet uniek, nooit geweest. Maar in deze familie heerste het geluk al zo lang, als een wrede dictator. Onuitstaanbaar.

Ze sluit de ogen. Ziet de vader van Dirk, van hem, dolen door de tuin. Wéér die vinger omhoog, wéér bij zijn oor.

'Hoort ge dat?' zegt hij. 'Luister. Dat zijn die rappe treinen, die HSL of dinges, die gaan zo rap, die kunnen niet meer remmen. Die doen zelfs geen moeite, die rijden gewoon door, whaam! Ze spuiten het achteraf wel schoon. Straf, hè.'

En weer ziet ze hem liggen in zijn graf, vraagt ze zich af of hij nog een lichaam was toen hij in de grond verdween.

Ze denkt aan hoe hun keuken eruitzag, in het begin, in die huurflat. De kleine tafel waaraan ze samen rookten – toen rookten ze nog – en lange gesprekken voerden. Welke gesprekken? Ze zou het zich graag herinneren. De precieze woorden, zinnen, wat hadden ze toen allemaal gezegd? Soms loopt ze alleen door het huis en stelt die vragen hardop. Maar de muren zeggen niks terug. Later rookten ze buiten, op het balkon, dat uitkeek op de betegelde achtertuin van de onderburen, vreemde types, die daar in de zomer een partytent neerzetten, zo'n witte – zondagmiddagen lang roken, drinken, met luide muziek.

's Nachts lagen ze in bed te luisteren naar de ademhaling van hun zoon, schrokken wakker omdat ze dachten dat hij dood was, klemden zich aan elkaar vast, en zwoeren dat er niets met hem mocht gebeuren, niet met hem, dat ze zonder hem nooit meer zouden kunnen leven, dat het een raadsel was wat ze al die tijd hadden gedaan, toen hij er nog niet was.

Ze hoopt dat Billie terugkomt. Maar deze nacht neemt niemand haar nog af. En ze is niet bang.

De vader van Dirk trekt zijn hemd en onderhemd uit. Hij bestudeert zijn verrimpelde, uitgezakte huid, de plukken haar, schijnbaar willekeurig verspreid over zijn borst; onkruid in een zandvlakte.

Dirk had hen geconcentreerd door de nacht gestuurd. Ze hadden niet gesproken, elkaar niet aangekeken. Pas toen de auto stopte, voor de deur van het appartementsgebouw waar hij woont, had Dirk zijn vader gevraagd of hij genoeg te eten in huis had, voor de komende dagen, of hij nog iets nodig had, of hij morgen een paar kippenpootjes moest langsbrengen, of een biefstuk. Maar Dirks vader eet geen vlees.

Hij had zijn hand op Dirks arm gelegd. Aan het spoor is niks gebeurd, jongen. Dat zouden we gehoord hebben. Of gezien, de stukken vliegen soms meters ver, dat weet je. Hij had het niet durven zeggen. Hij heeft het er te vaak over. Hij begrijpt niet waarom ze daar zijn gaan wonen.

Er zijn plekken waar je het kunt verwachten.

Goedkope grond. Het zal wel. Hij moet erover zwijgen dus hij zwijgt erover.

't Is goed, pa,' had Dirk gezegd. 't Is goed, het komt goed. Ik moet terug.'

Hij loopt naar het raam, staart in de duisternis en de spiegeling van een straatlantaarn. Hij balt een vuist. Begint opnieuw te antwoorden op vragen die niemand stelt.

'Het is de job van de conducteur. Het is de job van de conducteur om de stukken bijeen te rapen en onder een zeil te leggen totdat de hulpdiensten komen. De machinist moet in de cabine blijven. Of het is dood. Of het leeft nog. Dat kan ook. Ze blijven langer leven dan ge zoudt denken, meneer. En bloed. Liters bloed. Het is niet altijd expres, hè. De zon die in hun ogen schijnt. 'n Kleine die 't zotteke uithangt op het perron. Zeg het maar. Goed. Op 'n dag rij ik samen met een collega – zij had nog nooit iets voor gehad. Ja, dan moet ge mij juist hebben. We rijden nog geen tien kilometer. De remmen die piepen, de wielen die over de rails schuiven – een kabaal! Goed. Uiteindelijk staan we stil en we lopen naar buiten. Dat is altijd het moeilijkste moment. Ge kunt niet blijven zitten. Ah nee. Het kan nog leven. Ge kunt het niet laten liggen. Het is uw job, meneer. Maar zij was bang. Ik zeg: neem het zeil en hou het voor u, ik zal zeggen hoe ge moet lopen. Goed. Zo gezegd zo gedaan. Ik raap de stukken bij elkaar, zij volgt mij. Op dat moment word ik aangevallen. Ik kan het niet anders zeggen. Ik word aangevallen door een man die mij bij mijn schouder pakt en in mijn oor begint te roepen, maar hard hè. Dat hij het niet gedaan heeft. Ik probeer die man van mijn lijf te houden, ik duw hem zo een beetje achteruit en op het moment dat ik zijn gezicht zie, denk ik: ik ken die mens. En dat klopte. Ik kende hem.'

Hij sluit de ogen. Denkt aan de mooie momenten. Hij deed het graag. Op weg naar het laatste station, in een lege wagon, door het raam de nacht in kijken. Dan zag hij de lichtjes buiten en in die lichtjes kon hij zichzelf zien terwijl de wereld voorbijgleed. In een leeg appartementsblok, voor een grote, verlichte kerstboom, in de ramen van rijtjeshuizen, in de trein naast de zijne, die hen inhaalde. Hij zwaaide altijd. Naar zichzelf. Hij glimlacht. Opent de ogen. Steekt zijn hand op. Dan loopt hij naar de kast, neemt er een pyjama uit.

'Het jubileum. Dat was het. Het tienjarig jubileum. In dat scoutslokaal. Met die karaoke. Daar had ik hem gezien. Daar kende ik hem van. Alleszins. Die man was samen met onze jongen van het werk naar huis gefietst. Bij de overweg had onze jongen zijn fiets tegen een hek gezet, en die man een hand gegeven. "Fijn u gekend te hebben," had hij gezegd. Fijn u gekend te hebben. Altijd beleefd blijven, hè. Altijd astemblieft en dank u wel zeggen, jongen. Zo hebben wij hem opgevoed, meneer. Maar goed. Ik herken die mens. En hij herkent mij ook. En ik kijk naar de grond, naar wat er bijeen ligt aan mijn voeten. Ik had niks gemerkt, niks herkend. Het had 'n hond kunnen zijn. Straf hè.'

Hij laat een stilte vallen, als een blok beton. Hij draait zich om, kijkt in de spiegel aan de muur, wijst zichzelf aan en zegt: 'Ja, meneer. Dan krijgt ge wel iets langer congé, dat kan ik u wel vertellen.'

Een harde, langzame lach. Hij keert zich af van de spiegel, en kijkt de kamer rond terwijl hij verder vertelt.

'Het jubileum. Dat was nog 'ns een feest. Het is zijn beslissing geweest. Daar moet verder niemand commentaar op hebben. Dat het ons pijn heeft gedaan is geen excuus. Het was een goeie jongen. Ik moet verder niks weten. Ge kunt het niet tegenhouden. Hoe harder we ons best doen, hoe minder kans we hebben. We spelen op de Lotto. We zien een ster vallen en we doen 'n wens. Maar voor hetzelfde geld is dat een vliegtuig, hè. Of een satelliet. Ons Billie, en die mens, Ome Lex. Die zijn weg. Niks aan te doen. Belt de politie maar. Doe uw best maar. Misschien springen ze ernaast. Ge weet het niet. We zullen het ermee moeten doen. Maar dat mag ik niet zeggen, hè. Altijd alles zelf willen ondervinden, hè.'

Hij duwt de bril op zijn neus omhoog door zijn gezicht samen te trekken en weer te ontspannen, als een accordeon. Hij tuit de lippen en knikt.

'Ja ja.'

Hij knoopt het pyjamahemd dicht, loopt naar het televisietoestel in de hoek van de kamer, zet het aan, neemt een stoel en gaat heel voorzichtig zitten. Alsof hij breekbaar is.

De valk vliegt voort, ongestoord door de kreten van kleine vogels, steeds hoger, tot hij niets meer is dan een glinsterende vlek die boven een heuveltop danst waar een vuur brandt dat niemand kan zien.

HET ZWERVEND KOOR

1

Billie knippert met haar ogen, die moeten wennen aan de lucht boven haar. Leeg, hard, blauw. Ze betast haar slapen, haar neus, haar oren. Alles zit er nog. De grond is nat, haar rug koud en stijf. Zo ligt ze daar, turend door haar wimpers, als door een vliegengordijn, terwijl ze zich probeert te herinneren wat er is gebeurd, waarom zij hier zo ligt, en hoe dat kan, dat er regen valt terwijl de lucht leeg en blauw is en geen druppel haar schijnt te raken.

Ze denkt aan de vloedgolf die net door haar hoofd heen raasde.

Takken, modder, bomen, dakpannen, stenen van een huis. Handen die boven een wateroppervlak uit klauwden, schoenen, een bal, het dak van een auto. Alles samenge-bald tot een verwoestende stroom die een weg naar de zee groef, met een verblindende kracht op alles inbeukend, al-les wat bestaat, bestond of nog geschapen moest worden. Een huilend, gierend gedonder was het, dat haar schedel deed trillen. Alles verwerd tot zwart, duister, donker en wit, fel, licht tegelijk.

Hoe lang duurde dat allemaal? Een seconde? Een eeu-wigheid?

Ze richt zich op, voorzichtig, en dan ziet ze ze. Twee be-

nen van een man. Twee poten van een vogel. Ze komt overeind. Voor haar, schouder aan schouder, staan de jan-van-
gent en Ome Lex, die een meisje in zijn armen draagt dat
erg op haar lijkt. Ze kijken Billie onbewogen aan. Ze steekt
haar hand uit, met de palm naar boven gekeerd, kijkt omhoog en volgt de druppels die vallen, maar desondanks
haar hand niet raken.

'Maf, hè, Ome Lex? Het regent en wij voelen niks?'

De woorden verlaten haar mond alsof ze de hare niet zijn.

Ome Lex zwijgt. Hij staat daar maar. Roerloos, als olie.

De vogel kijkt haar aan, en schudt zijn kop.

'Wát zeg je?' vraagt Billie.

De jan-van-gent maakt een kleine beweging met zijn
vleugels, alsof hij zijn schouders ophaalt.

'Wie is dat meisje in zijn armen?' Billie wrijft over haar
hoofd en gezicht alsof ze zich wil vergewissen van het feit
dat ze staat waar ze staat.

De korte, witte veertjes die de ogen van de vogel inkap-
selen trekken samen – onzichtbare wenkbrauwen die worden gefronst.

'Ehm,' zegt Billie. 'Ik sta híér.'

De jan-van-gent lijkt te zuchten. Billie vraagt zich af of
ze dood is. Oma zei altijd dat je voor de dood niet bang
moest zijn, dat je dan wel bezig kon blijven, zonder ooit
iets voor mekaar te krijgen. Billie weet niet wat ze voor mekaar wil krijgen, maar bang wil ze niet zijn. Er zijn al genoeg mensen bang.

Het had allang avond moeten zijn, denkt Billie.

Hoe lang zijn ze al onderweg? Zeker een uur of vijf, zes.
Het had al zo lang helemaal donker moeten zijn.

Maar de zon staat daar nog steeds, een stukje boven de
einder, ze gaat maar niet onder, alsof ze niks wil missen
van wat te gebeuren staat.

Ze heeft haar liedje niet gezongen. Papa. Mama. Oma. Die moeten nu helemaal gek van bezorgdheid zijn. Ze zit in de problemen. Dik in de problemen. Ze zou bang moeten zijn.

De jan-van-gent kwettert opgewekt en wijst met zijn snavel naar Ome Lex alsof hij wil zeggen dat ze zich van hem niks aan moeten trekken. Hij strekt één vleugel uit. Hij wenkt haar. Kan dat?

Ze beginnen te lopen. Ome Lex zwijgt nog steeds. Hij loopt tussen hen in, moeizaam, als een schim, met Billies evenbeeld in zijn armen.

Ze is bleek, denkt Billie. Wat ziet ze er bleek uit. En wat voor kapsel is dat nu, ze lijkt wel een vogelverschrikker. Ze glijdt met haar vingers door haar eigen haren, maar die zijn steil en glad en lang, als altijd.

Nu pas valt het haar op dat de jan-van-gent bijna even groot is als Ome Lex. Hij wandelt zelfverzekerd, opgewekt, ze maken een zorgeloze natuurwandeling, zoiets. De vogel kijkt monter om zich heen met die grote, gebogen kop van hem, en die lange bek, als een waterkraan. Dan knikt hij in de richting van Ome Lex, die stopt met lopen.

'Wat ga je doen?' vraagt Billie.

De vogel keert zich van haar af en kijkt dan achterom, duwt zijn snavel in de veren die zijn rug bedekken.

Billie zegt niks. Ze kijkt de vogel aan. Even lijkt hij te glimlachen.

'Wát moet ik doen?'

De jan-van-gent kwettert opnieuw, luid, als een aanmoediging.

'En dan?' vraagt Billie. 'Springen?'

De jan-van-gent vertrekt. Eerst huppelt hij een paar meter, onhandig, alsof hij niet meer weet hoe dat moet, rennen, maar dan maakt hij snelheid.

Billie kijkt naar Ome Lex, die de vogel gadeslaat alsof hij een mirakel ziet.

'Zo laat je mij nog vallen, Ome Lex.'

Maar Ome Lex reageert niet. Hij staart alleen maar naar de vogel, die nu een flink eind voor ligt en ongeduldig Billie roept. Ze begint te rennen, haalt hem in, de jan-van-gent spreidt zijn vleugels, Billie steekt haar armen voor zich uit, springt, en hoppa! Daar gaan ze. Ome Lex wordt in rap tempo kleiner. Hij staart hen na. Uitdrukkingsloos en vuil als een standbeeld.

'Wow!' gilt Billie. 'Ik lijk Nils Holgersson wel!'

De jan-van-gent schreeuwt terwijl zijn vleugels de lucht wegduwen.

'Rustig maar, jongen. Ik weet ook wel dat jij geen gans bent.'

Ze klemt haar beide armen stevig om zijn nek; haar hoofd rust tegen zijn kop, haar lichaam ligt uitgestrekt over het werkende vogellijf, zacht en warm van de inspanning.

In één lange, soevereine slagvlucht stijgen de vogel en Billie steeds hoger. Het geluid dat hen omringt wordt donkerder en dikker, en dan weer ijl als een fluistering. Zeegolven die eindeloos blijven rollen zonder ooit te pletter te slaan. Ome Lex is uit het zicht verdwenen maar ook de horizon, waarachter in Billies beleving de zee lag, is nauwelijks nog te zien, ze vliegen niet weg, ze vliegen omhoog. Zo verticaal mogelijk.

De jan-van-gent houdt niet op met schreeuwen en kwetteren, alsof hij een gids is die een toeristische rondleiding geeft. Billie lijkt alles moeiteloos te begrijpen. Ze snapt het zelf niet.

'Dóór het blauw? Wat bedoel je? Dat is toch de lucht?'

De jan-van-gent draait zijn kop half in haar richting en tuurt met één oog schuin opzij, naar Billie. Hij lijkt verdorie te knipogen.

En op het moment dat hij dat doet, doorklieven ze het blauwe hemeldak dat vanaf de grond hard en strak en eindeloos leek, maar nu, waar zij vliegen, niets meer blijkt te zijn dan een nauwelijks zichtbare of voelbare grens tussen wat je vanaf de grond kunt zien en wat er dáárboven hangt. Geen trilling, geen schok, ze snijden erdoorheen als boter, waarna een donkerder gewelf zichtbaar wordt, opgebouwd uit een enorme massa golven en wit schuim die boven hen hangen.

'Wow!' gilt Billie opnieuw.

De vogel spreidt nu de vleugels en glijdt stil door de lucht terwijl Billie haar ogen niet van de watermassa af kan houden.

'Zoveel water. Geen wonder dat er af en toe wat naar beneden valt.'

Het is een woest uitzicht dat ieder mens vrees zou aanjagen, maar rustend op de zachte vederen vacht van de vogel komt het geen moment in Billie op dat ze gevaar zou kunnen lopen.

Dan, zonder een waarschuwing te geven, draait de jan-van-gent zijn lichaam om, als een stuntvliegtuig.

'Fuck!' roept Billie.

Maar er is niets aan de hand. Er is niets dat haar naar beneden wil trekken. Ze ligt nog steeds met haar buik en borsten op zijn veren, haar hoofd op zijn kop, haar benen bungelen langs zijn staart. En samen kijken ze naar wat net nog boven was, maar nu onder hen ligt en waar de golven en het schuim kolken. Ze luisteren naar het geluid, dat gromt en rolt. Ruis.

De jan-van-gent wijst met zijn lange bek naar beneden. Nu ziet Billie het ook: een silhouet als een kruisboog. Het is een valk. In grote, langzame cirkels vliegt hij onder hen. Een rank en sierlijk dier dat soepel stijgt, daalt, zwenkt, zoekend naar de juiste luchtstromen waarop hij kan drijven als een vlot op water, zijn grote ogen blinkende donkere spiegels. Geduldig wacht hij tot zijn prooi haar aanwezigheid zal verraden met hoog opspuitend water en het glimmen van zijn oliegladde huid. En dat is wat gebeurt.

Daar, beneden, half verscholen onder het wateroppervlak, zwemt traag en stil, zonder dat de golven ook maar enige grip krijgen op zijn koers: de walvis. Het is een snerpend, triomfantelijk geluid dat de valk de lucht in werpt wanneer hij het beest in zijn vizier vangt.

Billie verschuift haar hoofd, en streelt nu met haar wang de zijkant van de vogelkop, terwijl ze gespannen naar beneden tuurt.

De valk strekt zijn klauwen uit als het landingsgestel van een vliegtuig dat de eindbestemming nadert. Dan klemt hij zijn vleugels tegen zijn tengere, slanke lijf, herhaalt zijn ijzingwekkende, ijle kreet en laat zich vallen. Een schip dat zijn anker lost.

Het duurt niet langer dan enkele seconden. Alsof een kleine bom inslaat. Een rode fontein van vet en bloed, door de kracht van de inslag met elkaar vermengd. Geloei, diep en lang en huilend; het geluid stijgt op als een geur. Billie sluit de ogen en duwt haar gezicht in de veren van de jan-van-gent.

Het is alsof er een enorm appartementsgebouw uit het water oprijst. Een gigantisch bouwwerk van vlees. De valk, aan het zicht onttrokken door de smurrie die over hem heen spuit, krijst onophoudelijk. De walvis huilt als een sirene. Maar zijn weerstand is onvoldoende, onvoldoende voor de krachten die de vogel ontwikkelt, zijn vleugels die klapwieken en houvast zoeken in de lucht, en dat enorme beest langzaam uit de zee trekken als een wrak terwijl het water in dikke golven van zijn lijf glijdt en de ruimte vult die hij achterlaat.

De jan-van-gent gilt.

En daar gaat hij, inderdaad. Daar vliegt, door een lucht die geen mens kan zien, een jachtvogel en gegrepen door zijn klauwen hangt daar, onder hem, alsof het niets is, alsof hij zijn aanwezigheid niet voelt, geen weerstand ondervindt maar eerder nog geholpen wordt in zijn inspanning door onzichtbare, opstuwende krachten: de walvis.

Zijn vinnen en staart spartelend in het niets. In het water een moloch. In de lucht een grote gebrekkige vogel.

2

Opnieuw begint de jan-van-gent met lange slagen zijn vleugels te bewegen en snelheid te maken. Ze volgen de valk, die snel aan hoogte wint – of aan laagte, het is maar hoe je het bekijkt – met felle, rukkende bewegingen van zijn vleugels. Zijn kogelvormige kop naar voren gericht als de punt van een pijl. Zijn prooi log en weerloos aan zijn klauwen, een zeppelin.

Het water glijdt onder hen door als tijd en gaat over in groen, vlak land. Het gerommel en gedonder verdwijnen en maken plaats voor lichtere geluiden, speels als kinderen, terwijl de duisternis dan toch eindelijk begint te vallen en de zon zachtjes uitdooft.

In de verte doemt een heuvel op, een grote groene bult in het midden van de uitgestrekte vlakte. Zijn top is breed, kaal en vlak. Er lijkt vuur te branden.

De valk zet de landing in met een grote wijde bocht naar links, in zweefvlucht, de jan-van-gent volgt de manoeuvre als zijn schaduw. Steeds dichter nadert de open plek op de top van de bult en steeds duidelijker wordt de kring van vlammen die dansen en de gezichten verlichten van tientallen meisjes, jonge meisjes, die rond de vuurkring een tweede, grotere cirkel vormen. Hun stemmen stijgen op, gedragen door de warmte en de rook, en nu kan Billie ze horen, de woorden die dansen op ritmisch gezang.

Kijk, een bijenzwerm vliegt over de oceaan
De lucht is van staal
als een hartenkreet

Kijk, de wolk van klei aan de horizon
regent onze dromen
Zoet als suikerbonen

Terwijl wij dansen als vlammen op het ritme van de zon

Zing met ons mee en je zult zien, het gaat zo:
Hey Mahatsuko!
Hey Mahatsuko!
Wij zijn de droom waarop je hoopt
als je de slaap niet kunt vatten
Zing met ons mee, het gaat zo:
Hey Mahatsuko!
Hey Mahatsuko!

Iedereen lacht.

De valk daalt steeds verder en geen van de meisjes lijkt acht op hem te slaan of zich te verwonderen over wat er te gebeuren staat. Hij legt de walvis neer, in het midden van de kring, zachtjes, geruisloos. Als een veertje. Het beest blijft liggen, verslagen en bewegingloos. De valk begint triomfantelijk te krijten.

Ook de jan-van-gent zweeft nu op de vlakte af en maakt een vlekkeloze landing aan de rand van de heuveltop. Wanneer Billie weer met beide voeten op de grond staat, lijkt hij afscheid te willen nemen.

'Ik vond het ook heel leuk, jongen,' zegt Billie. 'Waar ga jij nu naartoe?'

De vogel knikt, en klappert even met zijn vleugels.

'Ga je goed op hem letten?' vraagt Billie. 'Ome Lex is een lieve oom. Een beetje raar, maar wel lief.'

De jan-van-gent strekt één vleugel uit, en streelt zachtjes haar wang met de punten van zijn veren. Dan draait hij zich om, neemt een vrolijke aanloop en vertrekt. Billie kijkt de vogel na. Met krachtige slagen baant hij zich een weg naar het blauw.

'Dag jongen,' zegt Billie. 'Voorzichtig.'

In de vuurkring zit de valk boven op de walvis te azen als een koning. Zijn poten zijn dik en gespierd. In het flikkerende licht dat het vuur op hem werpt ziet Billie zijn tong glimmen in zijn bek. Hij pikt vette stukken vlees uit het gigantische beest en laat ze naar binnen glijden als honing. Hij neemt de tijd.

Billie loopt naar de meisjes die rond het vuur zitten en staan, sommige hebben de armen om elkaar heen geslagen. Het gezang houdt aan, niet repetitief, of iedere keer weer van voor af aan, maar steeds verder, steeds weidser deint de melodie uit alsof ze op zoek is naar nieuw terrein.

Zo loopt ze: rustig, zelfverzekerd, met de kin omhoog. Vederlichte passen dragen haar naar het vuur door een zee van glimmende ogen. Billie kijkt om zich heen. Ze denkt: zoveel gelukkige mensen en ik ben niet bang. Of toch minder dan toen ik aankwam.

ALLEEN ALS EEN BEEST
— III

De mensen zullen vermoeden dat er een wereld van denken aan vooraf is gegaan, maar het meeste is gewoon vanzelf gebeurd, zoals alles, altijd. Uiteindelijk zijn we allemaal zondige mensen, ook en vooral wanneer we het niet willen. Tevens is het niet raadzaam het toeval uit te lokken. Dat is nu wel voldoende gebleken, me dunkt.

Nu sta ik op de grens tussen grind en asfalt en ik kijk terug naar wat achter mij ligt.

Ooit moet dit nieuw land zijn geweest, een utopia, dat de mensen hoop, broodwinning en een onderkomen schonk. Billie, wist je dat het woord utopia zowel goede als niet-bestaande plaats betekent? Ach.

Ik heb mijn portie gehad. Ik vervloek die kale vlakte, dat verdomde doolhof zonder gangen, zonder bomen om mij zuurstof te geven. Ik had liever door een bos gedwaald. Een bos kun je niet verder in lopen dan tot aan het midden. Daarna loop je er weer uit.

Billie ligt in mijn armen, die gevoelloos zijn van vermoeidheid, en ik draag mijn hart op de rug als een molensteen. Aan de overkant van de weg loopt het spoor. We zitten goed. Maar ik ontbeer de kracht en moed om vreugdevol te zijn.

Een man is het minst zichzelf wanneer hij praat vanuit de eigen persoon. Geef hem een masker en hij zal je de waarheid vertellen. Vaak is dat masker drank. Zoveel had ik vanmiddag niet gedronken.

Het is niet gemakkelijk om Ome Lex te zijn. De meeste mensen zijn het niet en kijk naar hen, hun overkomt nauwelijks iets kwaads. Ome Lex is niet te benijden. Het ging zo lang goed. Maar dat zij plots weg zou zijn en hij alleen met spijt en pijn zou achterblijven omdat hij zolang een meisje had, dat met hem speelde als stormwind met een enkel blad. Dat was toch niet te voorzien? En hoe vol geheimen was de weg die voor ons lag. Een weg waarvan je de rand niet zag. Maar wat er ook gebeurde, ik heb vertrouwen gehad. Aan 't einde zou de zon opnieuw gaan schijnen. Verdriet en geluk zijn aan elke tijd verbonden, tijd die in sneltreinvaart steeds sneller langs ons suist. Heelt die tijd echt alle wonden? Dat is nu de vraag.

We staan hier, alsof we ons op het kruispunt van twee verschillende werelden bevinden. Waarom is Billie toch die verdomde weilanden in gelopen? Omdat ze niet wist waarnaar ze op weg was, zoals zoveel jonge mensen, die geen lijn meer schijnen te zien, geen spoor om te volgen.

Martha is zeker aan het bidden geslagen. Geloof. Ach. Geloof is voor lieve mensen. Die een kaarsje branden in de kapel langs de weg. Rituelen houden de mensen samen, en verbergen ons opportunisme. Het is risicomijdend gedrag – wat als Hij toch bestaat? Dan hebben we dit toch goed geregeld. Lieve mensen. Lieve dwazen. Strompelend in lange rijen, hun hartenkreten toevertrouwend aan een standbeeld.

We beginnen te lopen. Ik heb het idee dat we een enorme, weidse bocht hebben gemaakt dus ik kies ervoor naar rechts te gaan en het spoor, dat zo aan onze linkerzijde ligt, te volgen.

Wanneer het kan, zoek ik de bescherming van de bomen aan de andere kant van de weg. Voor één keer lijkt het toeval ons gunstig gezind. Er is geen mens te bekennen. Alles stil. Alleen het zachte ratelen van... De ketting van een fiets. Een fietser.

Ik zet een stap opzij, kruip weg achter een knotwilg, druk Billie tegen me aan alsof ik haar zo onzichtbaar kan maken, ín mij kan duwen. Ik sta te trillen op mijn benen, leun met mijn schouder tegen de stam. Geen idee of hij ons heeft gezien. Daar komt hij. Een wielrenner die van de ochtendkoelte denkt te profiteren. Hij rijdt voorbij, het hoofd naar beneden gebogen, zijn ogen gericht op het asfalt. Vanachter deze dikke knoest kan ik zien hoe het zweet van zijn lichaam gutst. Ik kijk hem na, zie hoe zijn zwoegend lijf smelt in de schemering. Mooi. Krijgen we nu eindelijk rust?

We lopen verder, half verdekt, behoedzaam, over het gras en het zand langs de rand van de weg. Takken en bladeren hangen over ons heen als een misvormde erehaag die de uitgeputte marathonheld ontvangt, de boodschapper die dadelijk vermoord zal worden, en ik vloek op die bomen, en de geesten die in hun takken verborgen zitten; jullie moesten mij redden! Er komt natuurlijk geen antwoord. Er is niemand die een troostend woord tot mij richt, sterker nog: het komt mij voor dat de bomen en de lucht op gedempte toon met elkaar spreken. Ze staan dicht bij elkaar. Alsof ze een plannetje beramen, en er zo iets of iemand tevoorschijn gaat springen. Dwaze gedachten van een verloren man.

De weg en het spoor maken een lange bocht. Mijn veronderstelling is juist gebleken. Daar staat het huis op mij te wachten als een lege cel. In de verte meen ik het gerommel van een trein te horen.

Op een meter of honderd van het einddoel staat een dode boom waarin een vogel zit, roerloos, als een van de kale takken waarmee de maan, die nu laag aan de hemel staat, tot een ster wordt versneden. Zijn grote ogen blinken.

De straat is leeg. Alsof er niets is gebeurd. Is dat niet altijd zo met lege straten? Het zijn stille getuigen, lafbekken, op wier gelaat geen emotie valt af te lezen.

Het gerommel wordt luider, ritmischer, komt dichterbij, loopt langs mijn slapen, kruipt in mijn oren.

Ik zet mijn laatste stappen. Ik loop langzaam, om mijn angst te bedwingen. Billie blijft glimlachen. Het is vreemd, hoe het leek alsof haar gedachten de ganse tijd dicht bij me waren, in het duister, als iets wat ik wilde zeggen, maar me niet kon herinneren.

Bij het hek zie ik Martha staan. Misschien ben ik verrast, ik weet het niet, ik ben te moe. Haar handen om de tralies geklemd. Een moeder die het kind bezoekt dat van het rechte pad is afgeweken. We kijken elkaar aan. Martha zegt dat het hek op slot is. Ja. Dat geloof ik graag. Ik kijk opzij, naar links. Er zit een gat in het struikgewas. Ik kan de sporen zien liggen, roerloos en koud, in een bed van kiezels.

Ik kijk haar opnieuw aan. Wat moet ik zeggen, nu ik zo tegenover haar sta als een landloper, zijn kostbaarste bezit in beide armen geklemd? Billie heeft mijn hemd losgelaten. Een hand op haar buik. Een arm bungelend langs haar lichaam.

De trein dondert voorbij. Dof geraas. Stilte.

'Ze lacht,' zegt Martha.

Ik schud het hoofd.

'Dat doet ze al de hele tijd.'

Enhanced e-book voor iPad

Gelukkig zijn we machteloos is de eerste Nederlandstalige
roman die ook als enhanced e-book voor de iPad verschijnt.

Naast het e-book bevat deze uitgave het luisterboek
(ingesproken door Ivo Victoria), een videodagboek,
soundscapes, een exclusieve novelle en
videofragmenten met korte verhalen.

Het enhanced e-book gratis downloaden?

Het enhanced e-book is voor € 12,99 te koop in
de iTunes-store, maar zal met enige regelmaat GRATIS
te downloaden zijn.

Schrijf je in voor de Ivo Victoria-nieuwsbrief
via www.ivovictoria.com/nieuwsbrief en je ontvangt
een e-mail op de dagen dat de app kosteloos beschikbaar is.